絶叫学級

罠に落ちたライバル 編

いしかわえみ・原作/絵
はのまきみ・著

集英社みらい文庫

もくじ

143時《じ》間《かん》目《め》

遺《い》品《ひん》整《せい》理《り》

プロローグ

みなさん、こんにちは。

絶叫学級《ぜっきょうがっきゅう》へようこそ。

私《わたし》の名前《なまえ》は黄泉《よみ》。

恐怖《きょうふ》の世界《せかい》の案内人《あんないにん》です。

チャームポイントは、金色《きんいろ》に光《ひか》るこの瞳《ひとみ》。猫《ねこ》のようでしょう？

風《かぜ》もないのにゆらゆらとゆれる長《なが》い髪《かみ》も、お気《き》に入《い》りです。

下半身《かはんしん》が見《み》えないかもしれませんが、気《き》にしないでください。

それでは授業《じゅぎょう》をはじめましょう！

今回《こんかい》の授業《じゅぎょう》は、遺品《いひん》にまつわるお話《はなし》。

誰《だれ》かが亡《な》くなると、その人《ひと》の持《も》ち物《もの》を整理《せいり》します。

家族《かぞく》がくれたプレゼント。

笑顔《えがお》で写《うつ》っている写真《しゃしん》。
誰《だれ》かから送《おく》られてきた手紙《てがみ》…………。
どの品《しな》も、亡《な》くなった人《ひと》の想《おも》いがたっぷりとつまっているはず。
ただし、幸《しあわ》せな想《おも》いばかりとはかぎりません。
さて今回《こんかい》の主人公《しゅじんこう》は、遺品整理《いひんせいり》で
なにに出会《であ》うのでしょうか？
心温《こころあたた》まる品《しな》だといいのですが…………。

冬《ふゆ》のある日《ひ》。

小学《しょうがく》五年生《ねんせい》の箱田《はこだ》なゆは、母親《ははおや》につれられ、親戚《しんせき》の青井家《あおいけ》までやってきた。

「ほら、なゆ。降《お》りて」

「うん…………」

車《くるま》を降《お》りると、冷《つめ》たい北風《きたかぜ》が頬《ほお》にあたった。はく息《いき》が白《しろ》い。

「おうちにあがったら茜《あかね》ちゃんにお線香《せんこう》あげるのよ」

「うん」

なゆは、マフラーに顔《かお》をうずめるようにしてうなずいた。

(…………茜《あかね》ちゃんち)

ここは、伯父夫婦《おじふうふ》と、ひとり娘《むすめ》の茜《あかね》――つまりいとこの家《いえ》。

小学校《しょうがっこう》三年生《ねんせい》のいとこ、青井茜《あおいあかね》は、一《いっ》か月《げつ》ほど前《まえ》に事故《じこ》で亡《な》くなった。

（お葬式《そうしき》以来《いらい》だ…………）

葬儀《そうぎ》はこの家《いえ》で行《おこな》われ、棺《ひつぎ》に横《よこ》たわった茜《あかね》の遺体《いたい》に、なゆも手《て》を合《あ》わせた。

（本当《ほんとう》に、もういないんだな。茜《あかね》ちゃん）

あのとき、なゆは、棺《ひつぎ》を見《み》つめながら、そんなことを思《おも》った。

「なゆもこっちに来《き》て」

母親《ははおや》にうながされて、なゆは玄関《げんかん》のドアの前《まえ》まで歩《ある》いた。

呼《よ》び鈴《りん》を鳴《な》らすと、しばらくして、カチャリとドアが開《ひら》く。

「いらっしゃい」

伯父夫婦《おじふうふ》がでてきた。

ふたりはおだやかで物静《ものしず》かな人《ひと》たちだった。

伯父《おじ》はいつもやさしく、伯母《おば》はおいしいお菓子《かし》を作《つく》ってくれる。家《いえ》も庭《にわ》も掃除《そうじ》がいきとどいていて、きれいに片《かた》づいていた。

「なゆちゃん、まゆこ。よく来《き》たね」

伯父《おじ》は、母親《ははおや》の兄《あに》だった。一生懸命《いっしょうけんめい》に微笑《ほほえ》もうとしているようだが、やっぱりどことなく悲《かな》しそうだった。

「さあどうぞ。あがって」

伯母《おば》も少《すこ》しやつれて見《み》えた。

母親《ははおや》がお辞儀《じぎ》をする。

「兄《にい》さん、義姉《ねえ》さん。お邪魔《じゃま》します」

「………お邪魔《じゃま》します」

なゆも同《おな》じように頭《あたま》をさげて、母親《ははおや》と一緒《いっしょ》に家《いえ》に入《はい》っていく。

茜《あかね》が生《い》きていたときは、元気《げんき》よく「遊《あそ》びに来《き》たよ！」と言《い》うなり、バタバタとかけこんでいったものだ。

でも今《いま》は、大《おお》きな声《こえ》であいさつすることも、足音《あしおと》をたてて階段《かいだん》をあがることもない。

(寂《さび》しいな………)

リビングルームはお線香《せんこう》の香《かお》りがした。

なゆたちは、仏壇《ぶつだん》にお線香《せんこう》を供《そな》え、手《て》を合《あ》わせる。

茜《あかね》の遺影《いえい》はニコニコの笑顔《えがお》。いつもこんなふうに明《あか》るく笑《わら》う女《おんな》の子《こ》だった。

ゆるいウェーブのくせ毛《げ》も、天使《てんし》みたいでかわいらしかった。

なゆは、茜《あかね》の遺影《いえい》の前《まえ》に正座《せいざ》して、じいっとその姿《すがた》を見《み》つめる。

(茜《あかね》ちゃん、天国《てんごく》にいるの?)

母親《ははおや》は、先《さき》に立《た》ちあがってダイニングにあるテーブルに移動《いどう》した。

「まだ四十九日《しじゅうくにち》も終《お》えてないのに、遺品整理《いひんせいり》なんてしていいの?」

ダイニングでは、大人《おとな》たちがそんな話《はなし》をしている。

「いいんだ。たのむよ。俺《おれ》たちじゃ辛《つら》くて……どうしても手《て》が動《うご》かなくてね」

伯父《おじ》が寂《さび》しそうにため息《いき》をついた。

「本当《ほんとう》は私《わたし》たちがやってあげたいんだけど。こんなお願《ねが》いできる人《ひと》、他《ほか》にいないから」

と、伯母《おば》がなゆの母親《ははおや》にお茶《ちゃ》をだす。

「そうよね……突然《とつぜん》だったものね……」

母親《ははおや》は、なんだか涙《なみだ》ぐんでいるようだった。

なゆもひとりっ子《こ》。だからなおさら、ひとり娘《むすめ》を失《な》くしてしまった悲《かな》しみがよくわかるのかもしれない。

「なゆちゃん」

伯母《おば》に声《こえ》をかけられ、なゆはゆっくりと振《ふ》りかえった。

「なにか気《き》に入《い》ったものがあったら、持《も》っていっていいからね」

伯父《おじ》がそう言《い》うと、伯母《おば》も微笑《ほほえ》む。

「仲良《なかよ》しだったなゆちゃんなら、あの子《こ》も喜《よろこ》ぶわ」

「う、うん…………」

なゆは、小《ちい》さく返事《へんじ》をした。

遺品整理《いひんせいり》なんてするのは初《はじ》めてだ。

それも、年下《としした》のいとこの遺品《いひん》なんて。

(私《わたし》、ちゃんとやれるかな)

とても大事《だいじ》な仕事《しごと》をたのまれたような気《き》がして、緊張《きんちょう》してしまった。

お茶《ちゃ》を一口《ひとくち》飲《の》んだ母親《ははおや》が、ふうっと息《いき》をはく。

「それじゃあ、そろそろはじめましょうか。本当《ほんとう》に片《かた》づけちゃっていいのね？」

「ああ。段《だん》ボール箱《ばこ》は用意《ようい》してある。あとはまゆこたちにおまかせするよ」

「そのほうが私《わたし》たちも助《たす》かるわ」

伯母《おば》がそう言《い》うと、伯父夫婦《おじふうふ》は顔《かお》を見合《みあ》わせた。

「そう？　じゃあ、なゆ。二階《かい》へ行《い》こうか」

「…………うん」

母親《ははおや》と一緒《いっしょ》に、なゆはそっと階段《かいだん》をあがっていった。

茜《あかね》の部屋《へや》はドアを開《あ》けっぱなしにしてあり、いまにも茜《あかね》が飛《と》びだしてきそうだった。

すると、母親《ははおや》のスマートフォンが鳴《な》る。

「なによ、こんなときに」

ぶつぶつ文句《もんく》を言《い》いながら、「はーい」と電話《でんわ》にでる母親《ははおや》。

「え、なに？　うん、うん」

と、なにやら話《はな》していたが、しばらくすると、なゆのほうを見《み》て、渋《しぶ》い表情《ひょうじょう》をする。

「ごめん、ちょっと仕事先《しごとさき》から急用《きゅうよう》みたい。あっちで話《はな》してくるから、さきにはじめてて」

「え」

困《こま》ったなゆに背中《せなか》をむけ、母親《ははおや》は階段《かいだん》をおりていってしまった。

「だからー、しまったのはそこじゃないですよ。そうです、資料室《しりょうしつ》のキャビネットです。あるはずですけど………」

母親《ははおや》はあれこれ指示《しじ》をしている。電話《でんわ》は長《なが》くなりそうだ。

なゆは「も〜」と口《くち》をとがらせ、ひとりで茜《あかね》の部屋《へや》に入《はい》っていった。

そこは、最後《さいご》になゆが来《き》たときと、ほとんど様子《ようす》が変《か》わっていなかった。

茜《あかね》らしい、かわいらしくて明《あか》るい部屋《へや》だ。

(よくここで遊《あそ》んだな………)

ドアを入《はい》って、正面《しょうめん》の高《たか》い位置《いち》に窓《まど》がある。

右手《みぎて》には机《つくえ》。

左手《ひだりて》にはベッド。

カーテンやベッドカバー、ラグは、パステルカラーの花柄《はながら》だった。

開《あ》けはなった窓《まど》から冷《つめ》たい風《かぜ》が入《はい》ってきて、花柄《はながら》のカーテンがゆれる。

(お人形遊《にんぎょうあそ》びもした)

机《つくえ》の上《うえ》や、そのとなりにある飾《かざ》り棚《だな》には、ぬいぐるみや人形《にんぎょう》がいくつもならべられていた。

『これ、かわいいでしょ!』

茜《あかね》はよく、新《あたら》しいぬいぐるみや人形《にんぎょう》を見《み》せてくれた。

『この間《あいだ》ママに買《か》ってもらったの。なんの動物《どうぶつ》だと思《おも》う?』

『う〜ん。耳《みみ》が長《なが》いから………うさぎ?』

『あたり。でも、うさぎに見《み》えないよね』

も〜〜・・・
だから
しまったのは
そこじゃ
ないでしょ

『変《へん》な顔《かお》だね』

『眠《ねむ》ってるみたいだから〝お昼寝《ひるね》うさぎ〟って呼《よ》んでるんだよ』

『ぴったりの名前《なまえ》じゃん。あははは』

『あははは』

なつかしくなったなゆは、うさぎのぬいぐるみを両手《りょうて》で抱《だ》きあげた。

「ふふ………変《へん》な顔《かお》」

じっと見《み》つめていると、茜《あかね》の笑《わら》い声《ごえ》が聞《き》こえてくるようだ。

するとそのとき、窓《まど》からひときわ強《つよ》い風《かぜ》が入《はい》ってきた。

バタバタとカーテンが風《かぜ》にあおられ、おどろいたなゆは、ぬいぐるみを落《お》としてしまった。

「あっ」

ドサッと床《ゆか》に落《お》ちる〝お昼寝《ひるね》うさぎ〟。

かがんでそれを拾《ひろ》いあげ、窓《まど》を見《み》あげた。

(茜《あかね》ちゃんの部屋《へや》って、すごく高《たか》いところに窓《まど》があるよね………)

この部屋《へや》の窓《まど》は、なゆの胸《むね》よりも高《たか》い場所《ばしょ》にある。

三年生《ねんせい》にしては小柄《こがら》だった茜《あかね》が立《た》つと、この窓《まど》からでるのは背《せ》のびをしても頭《あたま》だけ。

なゆが訪《たず》ねてきたときはいつも、茜《あかね》は一生懸命《いっしょうけんめい》に背《せ》のびをして、この窓《まど》から頭《あたま》だけだして、門《もん》の外《そと》にいるなゆに手《て》を振《ふ》っていたっけ。

バサバサ、バサバサ………。

風《かぜ》にあおられたカーテンが、大《おお》きな音《おと》をたてている。

(茜《あかね》ちゃんは、家《いえ》の窓《まど》から落《お》ちて亡《な》くなったらしい)

詳《くわ》しいことは教《おし》えてもらえなかったけれど、この窓《まど》から落《お》ちたということだけは聞《き》いていた。

「………やっぱり、痛《いた》かったかな」

なゆはそうつぶやき、うさぎのぬいぐるみを元《もと》の位置《いち》に戻《もど》した。

その前《まえ》で手《て》を合《あ》わせ、目《め》をつむって祈《いの》る。

「天国《てんごく》の茜《あかね》ちゃんは、今《いま》は平気《へいき》でありますように」

目《め》を開《ひら》いて、部屋《へや》を見《み》まわす。

(ママ、早《はや》く戻《もど》ってこないかな)

母親《ははおや》が戻《もど》ってくるのを待《ま》とうかと思《おも》ったが、いっこうにその気配《けはい》がない。

「さきにはじめてててって、どうすれば………」

ふと見《み》ると、ベッドの上《うえ》に小《こ》ぶりのノートがおいてある。

かわいいいちご模様《もよう》の表紙《ひょうし》には、英語《えいご》で「Diary《ダイアリー》」と書《か》かれていた。

「日記帳《にっきちょう》？」

いかにも茜《あかね》が使《つか》いそうなデザインのノートだ。

なゆは日記帳《にっきちょう》をそっと手《て》にとり、きょろきょろとあたりを見《み》まわした。

（…………見《み》てもいいよね？）

他人《たにん》の日記帳《にっきちょう》を見《み》るのは気《き》がひけるけれど、好奇心《こうきしん》には勝《か》てない。

（ごめん、茜《あかね》ちゃん…………）

心《こころ》のなかであやまりながらノートを開《ひら》く。

そこには、茜《あかね》の丸《まる》っこい字《じ》で、短《みじか》い日記《にっき》が書《か》いてあった。たまにイラストもある。

11月《がつ》8日《か》（火《か》）

明日《あした》は　ママのおたん生日《じょうび》

ないしょでプレゼントを買《か》った

ママよろこんでくれるかな♡

文章《ぶんしょう》の横《よこ》に、ニコニコ笑《わら》っている女《おんな》の人《ひと》の絵《え》と、キャンディの絵《え》が描《か》いてある。
あまり上手《じょうず》じゃないけれど、かわいい絵《え》だった。

11月《がつ》11日《にち》(金《きん》)
さいきん　なゆちゃんが遊《あそ》びに来《き》てくれない
習《なら》いごとをはじめたらしい

日記《にっき》にそえて、泣《な》いているうさぎの絵《え》と、雲《くも》から雨《あめ》が落《お》ちている絵《え》がある。
それを見《み》ているなゆの表情《ひょうじょう》もくもった。
(そうだった。ごめんね、茜《あかね》ちゃん)
このころ、しばらく茜《あかね》の家《いえ》へ行《い》かなかったことがあった。
連絡《れんらく》が来《き》ても居留守《いるす》を使《つか》った。習《なら》いごとをはじめたというのも、うそだ。
年下《としした》のいとこと遊《あそ》ぶのが、ちょっぴり面倒《めんどう》くさくなってしまったのだ。
それに——。
なゆは、日記帳《にっきちょう》のページをめくっていった。

11月《がつ》12日《にち》（土《ど》）
やっぱりあれのせいなのかな

「ん？」

突然《とつぜん》、意味《いみ》のわからない文章《ぶんしょう》になった。

「あれ」とはなんだろう？

さきにすすめばわかるのだろうかと思《おも》いながら、さらにページをめくっていく。

11月《がつ》16日《にち》（水《すい》）
どうしよう
すてればだいじょうぶだよね？

（……………なんのことだろう）

なゆは首《くび》をかしげた。

「あれ」だとか「すてればだいじょうぶ」だとか、ますますわけがわからない。
さらに読《よ》みすすめてみる。

11月《がつ》21日《にち》（月《げつ》）

すてても　すてても　もどってくる

「…………」

目《め》で文字《もじ》を追《お》っていたなゆは、顔《かお》をしかめた。
捨《す》てるってなにを？
なにが戻《もど》ってくるのだろう？

11月《がつ》23日《にち》（水《すい》）

わたし　しぬかもしれない

「え…………？」

11月21日
すてても すてても
もどってくる
……
11月23日
パラ
私しぬかも
しれない

思《おも》わず声《こえ》をあげてしまった。ひらがなで書《か》いてあるけれど、これは――。

「〝しぬ〟って……死《し》ぬってこと？」

目《め》を見開《みひら》き、もう一度《いちど》よく確《たし》かめてみる。

読《よ》みちがいではないようだ。

「なにこれ……」

11月《がつ》25日《にち》（金《きん》）
どうしようどうしよう
あんな人形《にんぎょう》もらうんじゃなかった
こわいよ

「人形《にんぎょう》……!?」

なゆが息《いき》をのんだそのとき、ろうかでギシッと音《おと》がした。

あわてて日記帳《にっきちょう》を背中《せなか》にかくし、振《ふ》りかえる。

ろうかに、伯父夫婦《おじふうふ》が立《た》っていた。

（伯父《おじ》さんたちか…………）

ほっとしたなゆは、日記帳《にっきちょう》を後《うし》ろ手《で》にかくしたまま、何事《なにごと》もなかったようにすまして言《い》った。

「あ、えっと、ママは？」

「まゆこなら、仕事《しごと》の書類《しょるい》が必要《ひつよう》だとか言《い》って、さっき車《くるま》に戻《もど》ったよ」

「そっか…………」

勝手《かって》に日記《にっき》を読《よ》んだことがバレないか、内心《ないしん》はらはらした。

しかし、ふたりともなにも気《き》づいていないようだ。伯母《おば》がおだやかに微笑《ほほえ》む。

「どう？　なにか思《おも》い出《で》のものはあった？」

「う…………うん」

なゆは、伯母《おば》をおそるおそる見《み》あげ、あいまいにうなずいた。

「本当《ほんとう》、遠慮《えんりょ》しなくていいからね。茜《あかね》、なゆちゃんのことを、お姉《ねえ》ちゃんみたいに思《おも》ってたから」

伯母《おば》がそう言《い》うと、伯父《おじ》がうなずく。

「他《ほか》の人《ひと》にもらってもらうより、仲良《なかよ》しだったなゆちゃんのほうが、ね」

「そうよ」

「茜《あかね》も喜《よろこ》ぶよ」

そうして、ふたりで顔《かお》を見合《みあ》わせて微笑《ほほえ》む。

悲《かな》しい気持《きも》ちをかくすためか、いつも以上《いじょう》に明《あか》るく振《ふ》るまっているように思《おも》えた。

「それじゃあ、なゆちゃん、お願《ねが》いね」

「はい…………」

伯父夫婦《おじふうふ》は、なゆを残《のこ》して階段《かいだん》をおりていく。

ひとりになったなゆは、あらためて部屋《へや》のなかを見《み》まわした。

ずっと見《み》ていると、机《つくえ》の上《うえ》や飾《かざ》り棚《だな》にたくさんおいてある人形《にんぎょう》やぬいぐるみが、こちらを見《み》つめているような気《き》がしてくる。

パッチワークの生地《きじ》で作《つく》られたクマ。

しましまのマフラーを巻《ま》いたリス。

髪《かみ》が毛糸《けいと》でできているふわふわの女《おんな》の子《こ》。

金髪《きんぱつ》に赤《あか》いリボンをつけたお人形《にんぎょう》。

（〝人形《にんぎょう》〟…………）

なゆは、冷《つめ》たい風《かぜ》の吹《ふ》きこんでくる窓《まど》を見《み》あげた。

(茜《あかね》ちゃんは窓《まど》から落《お》ちたっていうけど、この高《たか》さからどうやって落《お》ちるんだろ)

この部屋《へや》の窓《まど》は、教室《きょうしつ》などにある窓《まど》とちがって、高《たか》い場所《ばしょ》に設置《せっち》されている。

小柄《こがら》な茜《あかね》は、背《せ》のびをしても頭《あたま》をだすことしかできなかった。

椅子《いす》や台《だい》にのれば、窓枠《まどわく》から身《み》をのりだすこともできるだろうけれど、わざわざそんなことをするだろうか。自殺《じさつ》でもないのに。

(まるで、誰《だれ》かに持《も》ちあげられて、落《お》とされたみたい)

だとしても、誰《だれ》に?

なゆは、ぬいぐるみや人形《にんぎょう》を見《み》まわした。かわいいぬいぐるみたちが、なんだか気味《きみ》が悪《わる》く思《おも》えてくる。

それに、もうひとつ気《き》になるのは高《たか》さのこと。

ここは二階《かい》だ。落《お》ちても、死《し》んでしまうほど高《たか》くはない気《き》がする。打《う》ちどころがひどく悪《わる》かったのだろうか。

(……考《かんが》えすぎだよね)

なゆは気《き》をとりなおし、ずっと手《て》に持《も》っていた日記帳《にっきちょう》を開《ひら》いた。

さっきは十一月《がつ》二十五日《にち》まで読《よ》んだ。そのさきになにが書《か》いてあるのだろう……。

ページをめくったなゆは、思《おも》わずぎょっとした。

この日記《にっき》
見《み》てるんでしょ？

今《いま》までとはまったくちがう字《じ》で、そう書《か》いてあったのだ。

日付《ひづけ》はない。

「な…………」

心臓《しんぞう》がバクバクとうるさく鳴《な》りだした。

その次《つぎ》のページをめくると、紙《かみ》いっぱいに同《おな》じ言葉《ことば》がならんでいる。


見《み》てるんでしょ見《み》てるんでしょ見《み》てるんでしょ見《み》てるんでしょ見《み》てるんでしょ見《み》てるんでしょ見《み》てるんでしょ見《み》てるんでしょ見《み》てるんでしょ

次《つぎ》のページも同《おな》じだった。めくってもめくっても「見《み》てるんでしょ」がぎっしりとならんでいるのだ。字《じ》もだんだん乱雑《らんざつ》になっていく。

そして最後《さいご》のページは、紙《かみ》がやぶけそうなほどの強《つよ》い力《ちから》で、こう書《か》いてあった。

あなたが
くれたんだよ
なゆちゃん

「きゃっ…………!!」

なゆは日記帳《にっきちょう》を放《ほう》りだした。その拍子《ひょうし》にバランスをくずしてしりもちをつく。

「はぁ…………はぁ…………」

心臓《しんぞう》がますますうるさく鳴《な》る。

と、そのときだった。

背後《はいご》で気配《けはい》がした。

「だ、誰《だれ》…………!?」

慌《あわ》てて振《ふ》りむく。

…
やっぱり…

すると、なゆのすぐうしろに、さっき見《み》かけた人形《にんぎょう》がいるではないか。

金髪《きんぱつ》のボブヘアに、赤《あか》くて細《ほそ》いリボンをカチューシャのようにつけた頭《あたま》。

半分《はんぶん》まぶたを閉《と》じたような、でもすいこまれるような青《あお》い色《いろ》をした目《め》。

花柄《はながら》のドレスの下《した》からは、ひらひらの白《しろ》いパニエがのぞいている。

口《くち》の横《よこ》には、腹話術《ふくわじゅつ》の人形《にんぎょう》のように切《き》れ目《め》が入《はい》っている。

「……………なんで」

少女《しょうじょ》のようにも、老婆《ろうば》のようにも見《み》える、奇妙《きみょう》な人形《にんぎょう》だ。

なゆは、その人形《にんぎょう》を見《み》おろしながら、頬《ほお》をピクピクとひきつらせた。

「やっぱり……………」


あれは二か月《げつ》ほど前《まえ》。

なゆは、父親《ちちおや》と一緒《いっしょ》に行《い》った駅前《えきまえ》のリサイクル店《てん》で、不思議《ふしぎ》な人形《にんぎょう》を見《み》つけたのだった。

『パパ、これ買《か》ってもいい？』

『ええ？　こんな人形《にんぎょう》がほしいのか？』

それは、金髪《きんぱつ》で青《あお》い目《め》をした人形《にんぎょう》。

ちょっと気味《きみ》が悪《わる》いし、それほどかわいいとは思《おも》えないけれど、なぜか目《め》がはなせなくなってしまった。

『うん。なんだか私《わたし》を呼《よ》んでるような気《き》がするんだ。運命《うんめい》かも』

『ははは。これ、アンティーク人形《にんぎょう》だろ？　高《たか》いんじゃないのか？』

『三百円《えん》って書《か》いてあるよ』

値段《ねだん》を聞《き》いて、父親《ちちおや》が驚《おどろ》いた。

『思《おも》ったより安《やす》いな。三百円《えん》ならまあいいか』

そうして人形《にんぎょう》は、なゆのものになったのだった。

大《おお》きさもちょうどよく、胸《むね》に抱《だ》くとぴったりと腕《うで》におさまる。

半分《はんぶん》まぶたを閉《と》じたようなとろんとした目《め》も、見《み》ているうちに、だんだんかわいく思《おも》えてきた。

『やっぱりかわいいかも』

なゆはスマートフォンで写真《しゃしん》を撮《と》り、次《つぎ》の日《ひ》に登校《とうこう》すると、さっそくみんなに人形《にんぎょう》の写真《しゃしん》を見《み》せたのだった。

『見《み》て見《み》て。この人形《にんぎょう》、昨日《きのう》買《か》ったの。かわいいでしょ！』

ところが友《とも》だちはみんな眉《まゆ》をひそめる。

『…………うーん』

不評《ふひょう》だった。

写真《しゃしん》を見《み》た友《とも》だちは全員《ぜんいん》、ひきつった笑《え》みを浮《う》かべたり、あからさまに気持《きも》ち悪《わる》そうな顔《かお》をしたりする。

そしてそのうち、こんなことを言《い》いはじめたのだった。

『それ、呪《のろ》いの人形《にんぎょう》じゃない？』

『呪《のろ》いの人形《にんぎょう》？』

なゆは、ぽかんと口《くち》を開《あ》けて、まじまじと写真《しゃしん》を見《み》てみる。

『Ｍｙｔｕｂｅ《マイチューブ》でやってたよ。それを手《て》にした人《ひと》は、一《いっ》か月以内《げついない》に死《し》ぬんだって～』

『こわ。そうだよ、その人形《にんぎょう》じゃない？』

『ま、まさか。ちがうよ………』

呪《のろ》いの人形《にんぎょう》なんていうものが、この世《よ》にあるはずがない。

もしあったとしても、自分《じぶん》がそんなものをかわいいと思《おも》うはずがないし、自慢《じまん》げにみんなに写《しゃ》真《しん》を見《み》せるなんて、そんなはずかしいことをするわけがない。

『……………』

言葉《ことば》を失《うしな》っていると、友《とも》だちが聞《き》いた。

『それ、どこで買《か》ったのー』

『リ……リサイクル店《てん》で……』

『わー。じゃあ、絶対《ぜったい》そうだよ』

『そういう店《みせ》でふつうに売《う》られてて、見《み》つけると思《おも》わず買《か》っちゃうって、Mytube《マイチューブ》で言《い》ってたし』

なゆは、見《み》つけた瞬間《しゅんかん》に思《おも》わず手《て》にとってしまった。

ということは。本当《ほんとう》に呪《のろ》いの人形《にんぎょう》なのだろうか？

そう思《おも》うと、とたんに人形《にんぎょう》がかわいいとは感《かん》じなくなってしまった。

（こんな人形《にんぎょう》、買《か》わなければよかった……）

その日《ひ》の放課後《ほうかご》。いつも一緒《いっしょ》に下校《げこう》する友《とも》だちに声《こえ》をかけると、彼女《かのじょ》は困《こま》ったように笑《わら》って言《い》った。

『ごめんね、今日《きょう》は委員会《いいんかい》があるんだ』

仕方《しかた》がないので、ひとりでろうかにでる。
すると、教室《きょうしつ》のなかからひそひそ声《ごえ》が聞《き》こえてきた。
『なゆちゃんと遊《あそ》ぶと呪《のろ》われるよ』
『だよねー。あんなキモチワルイ人形《にんぎょう》、自慢《じまん》げに見《み》せるんだもん』
『あれ、絶対《ぜったい》に呪《のろ》いの人形《にんぎょう》だよ』
『行《い》こー』
なゆはショックのあまり、その場《ば》から早足《はやあし》で逃《に》げだした。
あの人形《にんぎょう》のせいで仲間《なかま》はずれになるなんて、絶対《ぜったい》にいやだ。
(一刻《いっこく》も早《はや》く、人形《にんぎょう》を手放《てばな》さなくちゃ!)

そして次《つぎ》の日《ひ》、なゆは人形《にんぎょう》を持《も》って、茜《あかね》の家《いえ》に行《い》ったのだった。
『茜《あかね》ちゃん。この人形《にんぎょう》いる?』
なゆがバッグから人形《にんぎょう》をだした瞬間《しゅんかん》、茜《あかね》の瞳《ひとみ》がぱっと輝《かがや》いた。
(もしかしたら、私《わたし》と同《おな》じように、この人形《にんぎょう》にひきつけられてるのかな?)
だとしたら、チャンスだ。

『これ、アンティーク人形《にんぎょう》……………だと思《おも》うんだ。いる?』
『え、なんで? いらないの? かわいいのに』
『うん。もういっぱい人形《にんぎょう》持《も》ってるから』
『名前《なまえ》とかつけてないの?』
『まだつけてない。茜《あかね》ちゃんの好《す》きな名前《なまえ》にするといいよ』
なゆが手《て》わたすと、茜《あかね》は大事《だいじ》そうに人形《にんぎょう》を受《う》けとった。
『ありがとっ』
茜《あかね》は無邪気《むじゃき》に笑《わら》った。
本当《ほんとう》にうれしそうに。
それ以来《いらい》、うしろめたくなってしまい、茜《あかね》の家《いえ》から足《あし》が遠《とお》のいた。
連絡《れんらく》が来《き》ても、「習《なら》いごとがあるから」とうそをついてことわった。

まさか、本物《ほんもの》の呪《のろ》いの人形《にんぎょう》だったなんて――――。

茜《あかね》の部屋《へや》でしりもちをついていたなゆは、さっと体勢《たいせい》を変《か》え、人形《にんぎょう》の前《まえ》に正座《せいざ》した。

そして、うずくまるようにして、土下座《どげざ》する。

「っ、ごめんなさいっ…………茜《あかね》ちゃん…………」

仲間《なかま》はずれにされるのがいやで、茜《あかね》に押《お》しつけてしまった。

この人形《にんぎょう》を受《う》けとらなければ、茜《あかね》は事故《じこ》で死《し》ぬことはなかったかもしれない。

「私《わたし》がこの人形《にんぎょう》をあげなければ！」

そのとき、母親《ははおや》の声《こえ》がした。

「なゆ？　大丈夫《だいじょうぶ》？」

やっと仕事《しごと》の用事《ようじ》を終《お》えて、戻《もど》ってきたのだった。

母親《ははおや》は、床《ゆか》にうずくまって涙《なみだ》を流《なが》しているなゆを見《み》て、慌《あわ》ててかけよってきた。

「やだ、どうしたのよ」

「…………あ…………ママ…………」

なゆの前《まえ》にしゃがんだ母親《ははおや》は、床《ゆか》の上《うえ》の人形《にんぎょう》に気《き》づき、不審《ふしん》そうな声《こえ》をあげる。

「なに、この人形《にんぎょう》？」

しかし、すぐに別《べつ》のものを見《み》つけ、立《た》ちあがった。

「あら、これは………」

母親《ははおや》は、ベッドの奥《おく》のほうにおいてあった犬《いぬ》のぬいぐるみに手《て》をのばした。
その上《うえ》に、かわいい封筒《ふうとう》がおいてある。
茜《あかね》が好《す》きだった猫《ねこ》のキャラクターの封筒《ふうとう》だ。
母親《ははおや》はそれを手《て》にとると、なゆに渡《わた》した。
「これ、あんた宛《あ》てよ」
「私《わたし》に……………？」
なにが書《か》いてあるのだろう。
人形《にんぎょう》を押《お》しつけられた恨《うら》み？
（もしかしたら、私《わたし》の悪口《わるぐち》かも）
ドクンドクンと心臓《しんぞう》が早鐘《はやがね》を打《う》つ。
なゆは、おそるおそる封筒《ふうとう》を開《ひら》いた。
入《はい》っていたのは、手作《てづく》りのビーズアクセサリーと、短《みじか》い手紙《てがみ》だ。

かわいいお人形《にんぎょう》ありがとう
おれいに茜《あかね》の宝《たから》もの　あげる

茜《あかね》より

丸《まる》っこい茜《あかね》の字《じ》で、そう書《か》いてある。

手紙《てがみ》を読《よ》んだ母親《ははおや》が涙《なみだ》ぐんだ。

「茜《あかね》ちゃん……なゆに渡《わた》すつもりだったんだね」

でも、渡《わた》す前《まえ》に死《し》んでしまった。

(そうか、別《べつ》に私《わたし》のこと恨《うら》んでいるわけじゃなかったんだ………)

「茜《あかね》ちゃん………」

(呪《のろ》いの人形《にんぎょう》だって知《し》ってたのに、私《わたし》のことを恨《うら》まないでいてくれて、ありがとう)

ほっとしたなゆは、ビーズアクセサリーを握《にぎ》りしめてふたたび泣《な》きだした。

そんな娘《むすめ》に、母親《ははおや》は声《こえ》をかける。

「さぁ、茜《あかね》ちゃんのお部屋《へや》をきれいにしよっか」

「うん」

「悲《かな》しいけど、いつまでも泣《な》いててもしょうがないものね」

「そうだね」

なゆと母親《ははおや》は、人形《にんぎょう》やぬいぐるみ、服《ふく》、教科書《きょうかしょ》などを段《だん》ボール箱《ばこ》に入《い》れていった。ほしいものがあったらあげると言《い》われたけれど、特《とく》にほしいものはなく、ビーズアクセサリーだけをもらうことにした。

(私《わたし》のせいで、本当《ほんとう》にごめんなさい)

茜《あかね》の遺品《いひん》がつめこまれた段《だん》ボールは、何箱《なんはこ》にもなった。

ふたりは涙《なみだ》で赤《あか》くなった目《め》で、茜《あかね》の部屋《へや》をでた。そして階段《かいだん》をおり、伯父夫婦《おじふうふ》にあいさつをする。

「細《こま》かいものは、みんな片《かた》づけたから」

「ありがとう」

「本当《ほんとう》に助《たす》かったわ」

大人《おとな》たちのやりとりを眺《なが》めながら、なゆは思《おも》った。

(私《わたし》、あなたの分《ぶん》も生《い》きるから)

伯父夫婦《おじふうふ》は、最初《さいしょ》から最後《さいご》まで涙《なみだ》を見《み》せず、むしろほっとしたように微笑《ほほえ》んでいた。

(がんばって生《い》きるから)

そうして、なゆたちは青井家《あおいけ》をあとにした。

家《いえ》に帰《かえ》ってきたなゆは、リビングのソファにドサッと腰《こし》かける。

「ふ——……………」

遺品整理《いひんせいり》は、けっこう手間《てま》がかかった。

それに、人形《にんぎょう》のことで心配《しんぱい》になったり、泣《な》いたりして、なゆは心《こころ》も体《からだ》もくたくたに疲《つか》れてしまった。

母親《ははおや》はキッチンで夕食《ゆうしょく》の準備《じゅんび》をしている。

なゆは、茜《あかね》が遺《のこ》したビーズアクセサリーをポケットからとりだし、目《め》の高《たか》さまで持《も》ちあげてよく見《み》てみた。

茜《あかね》らしい、パステルカラーのアクセサリー。

亡《な》くなった人《ひと》からプレゼントをもらうのは初《はじ》めてだ。どう扱《あつか》っていいのかわからず、少《すこ》し困《こま》ってしまった。

ふと部屋《へや》のすみを見《み》ると、見慣《みな》れない段《だん》ボール箱《ばこ》がおいてある。

「ママ、この段《だん》ボールなに？」

キッチンから返事《へんじ》が聞《き》こえた。

「ああ、お義姉《ねえ》さんたちが、なゆにって。茜《あかね》ちゃんの形見《かたみ》として、持《も》っててほしいって」

「え……………？」

ゆっくりと段《だん》ボール箱《ばこ》に近《ちか》づいていく。

箱《はこ》の表《おもて》に「なゆちゃんへ」と書《か》いてあった。

強《つよ》い力《ちから》で書《か》かれた文字《もじ》。

それは日記帳《にっきちょう》に「あなたが　くれたんだよ　なゆちゃん」と書《か》かれていた字《じ》と、まるっきり同《おな》じだ。

なゆは凍《こお》りつき、震《ふる》える手《て》で段《だん》ボール箱《ばこ》を開《あ》けると——。

入《はい》っていたのは、あの人形《にんぎょう》だった。

なゆちゃんへ

エピローグ

百四十三時間目《ひゃくよんじゅうさんじかんめ》の授業《じゅぎょう》は以上《いじょう》です。

ふたりは仲《なか》のいいいとこ同士《どうし》。

ですが、少女《しょうじょ》は、いとこに呪《のろ》いの人形《にんぎょう》を押《お》しつけてしまいました。

自分《じぶん》が仲間《なかま》はずれから逃《のが》れるための、ほんの出来心《できごころ》だったのですが……まさか、こんな結《けっ》果《か》になってしまうとは。

少女《しょうじょ》も、もちろんいとこも、予想《よそう》していなかったでしょう。

呪《のろ》いの効果《こうか》が現《あらわ》れるのは、一《いっ》か月以内《げついない》だそうです。

その人形《にんぎょう》は、捨《す》てても捨《す》てても戻《もど》ってくるみたい。

手放《てばな》すことは、もう不可能《ふかのう》。

一《いっ》か月後《げつご》、少女《しょうじょ》はどうなってしまうのでしょうね？

みなさんも、亡《な》くなった方《かた》の遺品整理《いひんせいり》をするときは、注意《ちゅうい》してくださいね。

特《とく》に、恨《うら》まれるようなことをした相手《あいて》の場合《ばあい》は……。

それから、リサイクルショップの片《かた》すみにある古《ふる》びた人形《にんぎょう》にもご注意《ちゅうい》を。

あの人形《にんぎょう》は、めぐりめぐって、あなたの住《す》む町《まち》で身《み》をひそめているかもしれませんから。

144時《じ》間《かん》目《め》

テンマンさんクイズ

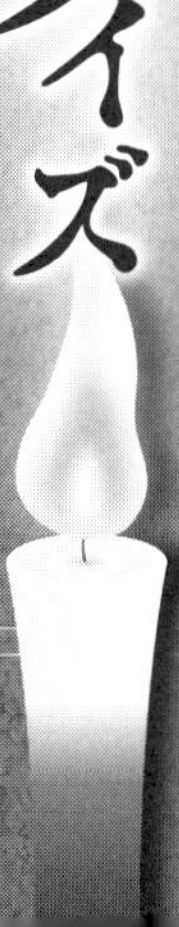

プロローグ

みなさん、こんにちは。
恐怖《きょうふ》の授業《じゅぎょう》の時間《じかん》です。
突然《とつぜん》ですが、ここでクイズです。
「のるとラクな動物《どうぶつ》は?」
正解《せいかい》は、ラクダ。
簡単《かんたん》すぎますか?
え? そんなのクイズじゃなくてなぞなぞじゃないか、ですって?
ふふふ。そうかもしれません。
でも、どんな問題《もんだい》でも、正解《せいかい》できると楽《たの》しいですよね。
しかも、誰《だれ》よりも早《はや》くこたえをだせたらどうでしょう?
ライバルに勝《か》てば、絶対《ぜったい》に気持《きも》ちがいいはず。

みんながあなたをほめてくれます。
注目《ちゅうもく》されること、まちがいなしです。
さあ、あなたもテンマンさんに挑戦《ちょうせん》してみませんか。
ただし、正解《せいかい》できないときは……………。

「あと五分《ふん》！」

教室《きょうしつ》に、先生《せんせい》の声《こえ》がひびく。

ここは集英進学塾《しゅうえいしんがくじゅく》の六年生特進《ねんせいとくしん》クラス。

実力《じつりょく》テストの真《ま》っ最中《さいちゅう》だ。

二《に》ノ宮梓《のみやあずさ》は、小学校《しょうがっこう》三年生《ねんせい》のころからこの塾《じゅく》に通《かよ》い、ずっと特進《とくしん》クラスに在籍《ざいせき》していた。

(簡単《かんたん》)

梓《あずさ》は、姿勢《しせい》を正《ただ》して、すらすらと問題《もんだい》を解《と》いていく。

(もっと難《むずか》しくてもいいのに)

飾《かざ》りけのないまっすぐな黒髪《くろかみ》に、シンプルなボーダーのT《ティー》シャツとジーンズ。

梓《あずさ》は、オシャレのことを考《かんが》える時間《じかん》があるなら、勉強《べんきょう》したいと思《おも》うタイプの女《おんな》の子《こ》だった。

(楽勝《らくしょう》、楽勝《らくしょう》………)

それから数日後《すうじつご》。

ろうかに張《は》りだされたテスト順位表《じゅんいひょう》の前《まえ》に、みんなが集《あつ》まっていた。

「うわ〜。ママに怒《おこ》られる〜」

「順位《じゅんい》ちょっとあがった！」

「俺《おれ》、さがった〜」

「もうちょっとがんばらなくちゃな」

口々《くちぐち》にみんなが言《い》うなか、梓《あずさ》はちらりと順位表《じゅんいひょう》を見《み》ただけで、すぐに教室《きょうしつ》に入《はい》っていく。

今回《こんかい》も一位《い》だということはわかりきっていた。

五百点中《てんちゅう》、五百点満点《てんまんてん》の一位《い》だ。

席《せき》につき、授業《じゅぎょう》の準備《じゅんび》をしていると、他《ほか》の子《こ》たちの声《こえ》が聞《き》こえてきた。

「ねえ、見《み》て。梓《あずさ》ちゃんの順位《じゅんい》」

「すごーい。また一位《い》かぁ」

「あの人《ひと》、いつも勉強《べんきょう》してるもんね」

「一位《い》とるなら、あのくらいやらなくちゃダメなのかぁ」

(当《あ》たり前《まえ》でしょ)

梓《あずさ》は心《こころ》のなかで冷《つめ》たくはきすてる。

(あんなレベルの問題《もんだい》、解《と》けないほうがどうかしてるよ)

梓《あずさ》はみんなのことを見《み》くだしていた。

できないのは、努力《どりょく》をしていないから。

(がんばりもしないくせに、甘《あま》い汁《しる》をすおうとするなんて、調子《ちょうし》がよすぎるんだよ)

そんなことを思《おも》いながら、机《つくえ》の上《うえ》にテキストをならべていると、誰《だれ》かに声《こえ》をかけられた。

「二ノ宮《にのみや》はきっと本命中学《ほんめいちゅうがく》に合格《ごうかく》できるな」

振《ふ》りかえると、算数担当《さんすうたんとう》の高柳先生《たかやなぎせんせい》が立《た》っていて、にこやかに微笑《ほほえ》んでいる。

高柳先生《たかやなぎせんせい》は若《わか》い男性《だんせい》の塾講師《じゅくこうし》。

気《き》さくで授業《じゅぎょう》もわかりやすく、みんなから人気《にんき》があった。

梓《あずさ》はときめく気持《きも》ちをかくしながら、仏頂面《ぶっちょうづら》でこたえた。

「あ……そのつもりで来《き》てるんで……」

「だよな。その調子《ちょうし》でがんばれ!」

高柳先生《たかやなぎせんせい》はそう言《い》うと、くるりと梓《あずさ》に背中《せなか》をむけ、別《べつ》の誰《だれ》かにむかって手《て》を振《ふ》った。

「お、最上《もがみ》～～。おまえもテスト一位《い》だったぞ」

その名前《なまえ》を聞《き》き、梓《あずさ》の目《め》つきがギッとするどくなる。

そう、五百点満点《てんまんてん》で一位《い》だった人《ひと》は、梓《あずさ》の他《ほか》にもうひとりいたのだ。

(最上《もがみ》のやつ………)

最上《もがみ》ゆん。

梓《あずさ》がライバル視《し》している子《こ》だ。

ゆんは、明《あか》るくてマイペースな女《おんな》の子《こ》だった。マイペースすぎて、塾《じゅく》のなかでも目立《めだ》っているくらいだ。

今日《きょう》もゆるふわな服装《ふくそう》をして、こったツインおだんごのハーフアップヘアにしている。

いつもケラケラと楽《たの》しそうに笑《わら》っていて、友《とも》だちも多《おお》い。

ゆんは八重歯《やえば》をのぞかせて、無邪気《むじゃき》に笑《わら》った。

「一位《い》？　まじ？　やった～☆」

「ゲームばっかしてるのに、やるときはやるもんな。すごいよ、おまえは」

「せんせー、ハイタッチ～！」

「おう！」

まじ？やった～☆
二ノ宮梓 / 最上ゆん
（500/500点）
（500/500点）
ゲームばっかしてるのに
やる時《とき》はやるもんな
ぱんっ
すごいよお前《まえ》は
へへーゆんは天才《てんさい》なんです☆

ゆんと高柳先生《たかやなぎせんせい》が、パチンとハイタッチした。

「へへー。ゆんは天才《てんさい》なんです☆」

V《ブイ》サインを作《つく》っておちゃらけるゆんを横目《よこめ》で見《み》ながら、梓《あずさ》は思《おも》った。

（なにあれ。調子《ちょうし》にのっちゃって）


その日《ひ》は、すべての授業《じゅぎょう》が終《お》わっても、梓《あずさ》の機嫌《きげん》はなおらなかった。

帰《かえ》り際《ぎわ》、ジュースの自動販売機《じどうはんばいき》の横《よこ》にあったゴミ箱《ばこ》をけっ飛《と》ばす。ただし、ゴミ箱《ばこ》を倒《たお》すとしかられそうなので、倒《たお》れないくらいの力《ちから》で。

（本当《ほんとう》、むかつく。最上《もがみ》ゆん）

自分《じぶん》のことを「天才《てんさい》」と言《い》ってしまえる自信過剰《じしんかじょう》なところが嫌《きら》いだった。

マイペースなところも嫌《きら》いだ。

ヘラヘラしたあの笑顔《えがお》を思《おも》いだすだけで、梓《あずさ》の胸《むね》はむかむかしてくる。

（あんな適当《てきとう》なのに、いつもテストで上位《じょうい》に入《はい》ってくる）

ゲームばっかりしているというのは、うそではなさそうだった。

塾《じゅく》だってたまにサボるし、居眠《いねむ》りしていることもある。

それなのに。

(いつも高柳先生《たかやなぎせんせい》にほめられて………)

一位《い》になった回数《かいすう》は、梓《あずさ》のほうが断然多《だんぜんおお》い。けれど、ほめられるのは、いつだってゆんのほう。

これはどう考《かんが》えても、ひいきだ。

(天然《てんねん》キャラのふりしちゃって、あざといんだよ)

梓《あずさ》は、自動販売機《じどうはんばいき》のほうをむいたまま、くやしくてギリギリと奥歯《おくば》をかんだ。

するとそのとき。

「あ、あの。梓《あずさ》ちゃん………」

振《ふ》りむくと、気弱《きよわ》そうな女《おんな》の子《こ》が立《た》っている。

(ん? この子《こ》、たしか落《お》ちこぼれクラスの………)

特進《とくしん》クラスのメンバーしか眼中《がんちゅう》にない梓《あずさ》は、彼女《かのじょ》の名前《なまえ》を知《し》らなかった。

「えっと、私《わたし》………D《ディー》クラスの藤名《ふじな》ミト………です………」

「D《ディー》クラスって、一番下《いちばんした》じゃん。で?」

梓《あずさ》はいまいましそうに腕《うで》を組《く》み、ミトを見《み》すえた。

「特進《とくしん》クラスになにか用《よう》?」

「あっ、あの………梓《あずさ》ちゃんにお願《ねが》いがあって………」

そう言《い》うと、ミトはうつむいてもじもじする。

「なに？　早《はや》く言《い》ってよ。ヒマじゃないの」

「テ、テンマンさんに挑戦《ちょうせん》してみない？」

「は？」

(テンマン？)

聞《き》いたこともなかったけれど、「知《し》らない」と正直《しょうじき》に言《い》うのはしゃくにさわるので、だまったままでいた。

「お、おもしろいゲームでね、頭《あたま》のいい人《ひと》じゃないとクリアできないの！　時間《じかん》もそんなかからないし！」

「ゲーム？」

ぜんぜん気《き》がのらなかった。

梓《あずさ》はゆんとちがって、ゲームなどやっているヒマはない。そんなことにかまけている時間《じかん》があったら勉強《べんきょう》しなくてはいけないのだ。

「パス」

一言《ひとこと》そう言《い》って、梓《あずさ》はきびすをかえした。

その背中《せなか》に、ミトが叫《さけ》ぶ。

「まだ誰《だれ》もクリアしたことないんだって！」

（え？）

梓《あずさ》の眉《まゆ》がぴくりと動《うご》いた。ミトはさらにつづける。

「クリアできたら、みんなにすごいって言《い》われるよ！」

（ふーん…………。まだ誰《だれ》も、ねえ）

ということは、あの最上《もがみ》ゆんもクリアしていないということ。

梓《あずさ》が挑戦《ちょうせん》してクリアしたら、高柳先生《たかやなぎせんせい》もほめてくれるかもしれない。

〝テンマンさん〟というゲームがどんなものなのかわからないけれど、塾《じゅく》で成績《せいせき》トップの梓《あずさ》なら、簡単《かんたん》にクリアできるんじゃないだろうか？

「…………いいよ」

梓《あずさ》がこたえると、ミトは一瞬《いっしゅん》おどろいた顔《かお》をした。一度《いちど》ことわられたから、説得《せっとく》は無理《むり》だと思《おも》いこんでいたのだろう。

おどろいたあと、パッと笑顔《えがお》になった。

よほどうれしかったらしく、目《め》に涙《なみだ》まで浮《う》かべてこう言《い》った。

「じゃあ、宣誓《せんせい》してくれる？」

梓《あずさ》の顔《かお》が、とたんに不機嫌《ふきげん》になる。

「せんせい？　…………なんで」

「あ、えっと…………その…………」

「わかった、いいよ」

本当《ほんとう》はよくわかっていないが、わかったようなふりをして、梓《あずさ》はうなずいた。

「よかった！　私《わたし》と同《おな》じように言《い》ってみてくれる？」

「くりかえせばいいの？」

「うん、そう！　それじゃあいくね。〝私《わたし》はテンマンさんに〟」

「私《わたし》はテンマンさんに」

「〝挑戦《ちょうせん》します〟」

「挑戦《ちょうせん》します」

夕食《ゆうしょく》や入浴《にゅうよく》をすませたあとも、梓《あずさ》は夜中《よなか》まで部屋《へや》で勉強《べんきょう》するのが日課《にっか》になっている。

その日《ひ》の夜《よる》も、深夜《しんや》の十二時《じ》をすぎたころ、ドアの外《そと》から母親《ははおや》の声《こえ》がした。

「梓《あずさ》ちゃん、夜食《やしょく》よ」

「そこにおいといて」

カチャカチャという食器《しょっき》の音《おと》がしたあと、母親《ははおや》の足音《あしおと》が遠《とお》ざかっていく。

ろうかが静《しず》かになると、ふと、塾《じゅく》でのミトとのやりとりを思《おも》いだした。

(あいつ、最上《もがみ》ゆんじゃなくて私《わたし》に話《はなし》を持《も》ってくるなんて、わかってるじゃん)

藤名《ふじな》ミトという子《こ》とは、今《いま》まで一度《いちど》もしゃべったことはなかった。

そんな子《こ》でも梓《あずさ》のことを知《し》っていて、わざわざ声《こえ》をかけてくるのは、梓《あずさ》が有名人《ゆうめいじん》だからにちがいない。

しかも、あんなにおどおどしていた。梓《あずさ》の前《まえ》で緊張《きんちょう》していたのだろう。

(やっぱ私《わたし》のほうが頭《あたま》いいって、みんなわかってんのよ)

そう思《おも》い、シャープペンシルを握《にぎ》りなおしたそのときだった。


ガリ、ガリガリ………ガリガリ………。

ガリ
ガリ
ガリ
ガリ
ブツ
ブツ
…っけ
なんだっけ…

ドアのほうから奇妙《きみょう》な音《おと》がする。

梓《あずさ》は、母親《ははおや》がまだろうかにいるのかと思《おも》い、なんの気《き》なしに振《ふ》りかえった。

すると、部屋《へや》の内側《うちがわ》に、うす汚《よご》れた人《ひと》が、頭《あたま》を抱《かか》えるようにして座《すわ》りこんでいるではないか。

おどろいた梓《あずさ》は、思《おも》わず悲鳴《ひめい》をあげ、ガタッと椅子《いす》から立《た》ちあがった。

「ひやっ!?」

いつの間《ま》に部屋《へや》に入《はい》ってきたのだろう。

突然現《とつぜんあらわ》れたその人《ひと》は、つむじがこちらにむくほど、頭《こうべ》を垂《た》れている。

おまけに、長《なが》いボサボサの髪《かみ》に顔《かお》がかくれ、男《おとこ》か女《おんな》かもわからなかった。

枯《か》れ枝《えだ》のように痩《や》せた体《からだ》に、黒《くろ》いズタボロの布《ぬの》一枚《まい》を身《み》につけ、足《あし》もとははだしだ。

ガリガリ……………ガリガリガリ………………。

奇妙《きみょう》な音《おと》は、その人《ひと》が頭《あたま》をかきむしっている音《おと》だった。

垢《あか》の浮《う》いたしわだらけの腕《うで》が、神経質《しんけいしつ》そうにガサガサ動《うご》いていた。

「……………っけ………………なんだっけぇ…………」

低《ひく》い声《こえ》でなにか言《い》っていた。念仏《ねんぶつ》か呪文《じゅもん》のようにも聞《き》こえる。

梓《あずさ》は、おそろしくて部屋《へや》の外《そと》に逃《に》げたかったが、その人《ひと》がドアの横《よこ》にいるせいでていけなかった。

助《たす》けを求《もと》めようと、震《ふる》える声《こえ》で言《い》った。

「マ、ママ。どろぼ………」

すると、ボロ布《ぬの》をまとった人《ひと》は、梓《あずさ》の声《こえ》をかき消《け》すように、うめきはじめた。

「………パ、パ、パンはぁぁぁ…………パンはぁぁ…………」

(は？　なにか言《い》ってる？)

梓《あずさ》は口《くち》をつぐみ、聞《き》き耳《みみ》をたてる。

「………パ、パンはぁぁパンでも………食《た》べられないぃパンン………なんだっけ………」

立《た》ちすくんでいる梓《あずさ》のことを気《き》にもとめず、その人《ひと》は低《ひく》い声《こえ》で言《い》いつづけ、頭《あたま》をぐしゃぐしゃとかいている。

(パ、パン!!?　なに言《い》ってるの、この人《ひと》。なぞなぞでもだしてるつもり!?)

「なんだっけぇ………なんだっっっけぇぇぇ………」

そして、ひときわ激《はげ》しく頭《あたま》をかきむしりだした。

ガリ、ガリ、ガリガリガリガリ…………！

追《お》いだすこともできず、逃《に》げることもできない。もし変《へん》なことを言《い》ってしまったら、襲《おそ》われるかもしれない。

（これ、絶対《ぜったい》なぞなぞだ）

困《こま》った梓《あずさ》は、苦《くる》しまぎれに考《かんが》えた。

なぞなぞにこたえればいいのではないか、と。

（食《た》べられないパン…………えっと、えっと…………）

「フ、フライパン!?」

梓《あずさ》が叫《さけ》んだその瞬間《しゅんかん》、頭《あたま》をかきむしる手《て》がとまった。

そして、その姿《すがた》が、煙《けむり》のようにすぅっとうすくなり、次第《しだい》に消《き》えていく。

（え？　はぁ？）

十秒《びょう》もたたないうちに、体《からだ》は完全《かんぜん》に見《み》えなくなってしまった。

梓《あずさ》は力《ちから》が抜《ぬ》けて、その場《ば》にどさりとへたりこむ。

「な…………なに、いまの…………」

そのとき、はっと思《おも》いだした。

――私《わたし》はテンマンさんに挑戦《ちょうせん》します。


ミトにうながされて言《い》ったあのひとこと。

宣誓《せんせい》だ。


「まさか、これ…………!?」

これが〝テンマンさん〟だというのだろうか?


次《つぎ》の日《ひ》、塾《じゅく》につくやいなや、D《ディー》クラスに行《い》ってミトを呼《よ》びだした。

おびえながらろうかにでてきたミトにせまり、思《おも》いきり壁《かべ》ドンする。

ミトが「ひっ」と小《ちい》さな悲鳴《ひめい》をあげる。梓《あずさ》はどなりつけた。

「あれなに!?　明《あ》け方《がた》もでてきて、変《へん》な問題《もんだい》すごいだしてきたんだから!」

ミトは目《め》をつむって肩《かた》をすくめ、必死《ひっし》にあやまる。

「ごめんなさいごめんなさい」

「あれがテンマンさんだっていうの!?」

「う、うん……そうなの……」

「気味悪《きみわる》いっ！　どうするのよ、あれ!!」

「わ……私《わたし》も友《とも》だちからうつされたの」

梓《あずさ》は思《おも》わず顔《かお》をしかめた。

(うつされた、ってどういうことだろう？)

ミトはびくびくとおびえきっている。

「テ、テンマンさんは、挑戦者《ちょうせんしゃ》に千の問題《もんだい》をだすらしいの……。十秒以内《びょういない》にこたえないといけなくて……問題《もんだい》がすすむたび、難易度《なんいど》があがっていくんだって」

「は!?」

十秒以内《びょういない》ということは、ゆうべの問題《もんだい》なんてギリギリの時間内《じかんない》だったかもしれない。

「どうしてそういうことをさきに言《い》わないのよ！」

「ごめんなさいごめんなさい」

すぐにあやまるミトにも、腹《はら》がたってきた。

「そ、そ、それで、もしこたえられなかったら……」

「こたえられなかったら、どうなるっていうのよ！」

「……テンマンさんに脳《のう》をひきずりだされて、殺《ころ》されるって……」

梓《あずさ》は眉《まゆ》をつりあげた。

「そ、そんなものを、あんた、私《わたし》に!!」

なぐりかかりそうないきおいでつめよると、ミトはさらに縮《ちぢ》こまり、涙目《なみだめ》になった。

「でもっ、自信《じしん》がなかったら、人《ひと》にうつせるから!!」

そして、ぷるぷると震《ふる》えながら言《い》う。

「昨日《きのう》私《わたし》がしたみたいに、相手《あいて》に宣誓《せんせい》してもらえば、うつせるから……」

ちょうどそのとき、教室《きょうしつ》のドアから国語《こくご》の先生《せんせい》が顔《かお》をだし、声《こえ》をかけた。

「そこのふたり、授業《じゅぎょう》はじまるわよ」

ミトが逃《に》げるように教室《きょうしつ》に入《はい》っていく。

梓《あずさ》はそのうしろ姿《すがた》をにらみつけて思《おも》った。

（なめやがって。自信《じしん》ならあるわよ）

千問《もん》のクイズに正解《せいかい》する自信《じしん》がないなら、他《ほか》の人《ひと》に宣誓《せんせい》させろだって？

（私《わたし》はおまえらみたいな負《ま》け犬《いぬ》じゃない）

梓《あずさ》はけわしい顔《かお》つきのまま、特進《とくしん》クラスの教室《きょうしつ》に入《はい》っていた。

（テンマンだかマンテンだか知《し》らないけど、ふざけた問題《もんだい》しかださないお化《ば》けに、負《ま》けるわけない）

ゆうべと明《あ》け方《がた》にだしてきた問題《もんだい》も「食《た》べられないパンは？」とか「のるとラクな動物《どうぶつ》は？」とか、そういう超簡単《ちょうかんたん》ななぞなぞだ。

ばかばかしくて、つきあっていられない。

梓《あずさ》はふいに思《おも》いついた。

（負《ま》けるわけがない私《わたし》が、あんなクイズに挑戦《ちょうせん》するのはばかげてる。気《き》持《も》ち悪《わる》いし、あんなのにいちいちこたえてたら、勉強《べんきょう》する時間《じかん》が削《けず》られるだけじゃん）

ちょうどそのとき、あの能天気《のうてんき》な声《こえ》が聞《き》こえてきた。

「やっほ〜」

最上《もがみ》ゆんだ。いつも始業《しぎょう》ギリギリの時間《じかん》にやってくる。

「待《ま》ってたよー、ゆん〜」

「あんたまた遅刻《ちこく》ギリギリだよ〜」

「えへへへ〜」

友《とも》だちにかこまれ、ゆんはおどけて笑《わら》っていた。

その顔《かお》を見《み》ているうちに、梓《あずさ》はいいことを思《おも》いついた。

テンマンさんをゆんに押《お》しつけてしまえばいいのだ。

いつもゲームばかりしているみたいだし、簡単《かんたん》にのってくるかもしれない。

「最上《もがみ》さん」

梓《あずさ》が呼《よ》ぶと、ゆんはニコニコ微笑《ほほえ》みながら、スキップするように近《ちか》づいてきた。

「なになに〜？　二ノ宮《にのみや》さん」

「おもしろいクイズゲームがあるんだけど…………」

「えっ、やりたいやりたい！」

思《おも》ったとおりだった。ノリノリで食《く》いついてきた。

「あのね、テンマンさんに挑戦《ちょうせん》してみない？」

「テンマンさん!?　おもしろそー！」

「じゃあ、私《わたし》が言《い》ったことをくりかえしてみて」

「うんうん。なんて言《い》えばいいの？」

「〝私《わたし》はテンマンさんに挑戦《ちょうせん》します〟」

「オッケ～。私《わたし》はテンマンさんに挑戦《ちょうせん》します！☆」

こうして梓《あずさ》は、ゆんに宣誓《せんせい》をさせたのだった。


その日《ひ》の夕食後《ゆうしょくご》、梓《あずさ》はアイスを食《た》べながらほくそ笑《え》んだ。

（ふっ。あいつ、いまごろ慌《あわ》ててるかもね）

いまごろきっと、ゆんの部屋《へや》にあの小汚《こぎたな》いお化《ば》けが現《あらわ》れ、ガリガリと頭《あたま》をかきむしっているのだろう。

考《かんが》えるだけでも、胸《むね》がスカッとする。

（あんなバカみたいなやつが私《わたし》と同《おな》じ順位《じゅんい》だなんて、おかしすぎる。どうせカンニングして点《てん》とってるのよ）

サボるし、居眠《いねむ》りするし、遅刻《ちこく》ギリギリだし。

あんな人《ひと》と同《おな》じ〝一位《い》〟だと思《おも》われるのはごめんだった。

こっちはがんばっているのだ。梓《あずさ》のほうが、本物《ほんもの》の〝一位《い》〟だ。

（きっとすぐに怖《こわ》くなって、私《わたし》に泣《な》きついてくるわ）

そうしたら、他《ほか》の人《ひと》にうつせることを、喜《よろこ》んで教《おし》えてあげるつもりだ。

それまではだまっていよう、と梓《あずさ》は思《おも》った。


ところが、意外《いがい》なことが起《お》きた。

二日後《ふつかご》に塾《じゅく》に行《い》くと、ゆんの友《とも》だち数人《すうにん》が集《あつ》まってざわついている。

「やっぱりおかしいと思《おも》うんだ。心配《しんぱい》だよ」

「先生《せんせい》に言《い》ってみようよ」

「そうだね」

そんな声《こえ》が聞《き》こえてくる。

彼女《かのじょ》たちの横《よこ》を通《とお》りすぎながら、梓《あずさ》は思《おも》った。

（なんの話《はなし》してるんだろ……）

席《せき》につき、梓《あずさ》が静《しず》かに様子《ようす》を見《み》ていると、彼女《かのじょ》たちは高柳先生《たかやなぎせんせい》のもとへ走《はし》っていく。

「え？　最上《もがみ》と連絡《れんらく》がとれない？」

先生《せんせい》がそう言《い》ったので、梓《あずさ》は思《おも》わず聞《き》き耳《みみ》をたてた。

（え……？）

「私《わたし》、ゆんと同《おな》じ学校《がっこう》なんだけど、学校《がっこう》も休《やす》んでるし、塾《じゅく》にも来《き》てなくて。どうしたのかなって心配《しんぱい》で」

「もしかしたら、受験《じゅけん》のストレスでおかしくなっちゃったのかな、って話《はな》してたの」

「……………う〜ん」

高柳先生《たかやなぎせんせい》は、腕組《うでぐ》みをして考《かんが》えこんでいる。

（…………学校《がっこう》にも行《い》ってないって、なにしてんの、あいつ）

梓《あずさ》はゆんとちがう小学校《しょうがっこう》に通《かよ》っているから、登校《とうこう》していないことは知《し》らなかった。

これは、テンマンさんに相当《そうとう》てこずっているのか、それとも、もしかしたら――――。

考《かんが》えこんでいた高柳先生《たかやなぎせんせい》が、パッと明《あか》るい笑顔《えがお》に戻《もど》った。

「あいつはそんなやわなやつじゃないよ」

それを聞《き》いて、女子《じょし》たちの表情《ひょうじょう》もやわらぎ、口々《くちぐち》に「そっかあ」「だよね」などと言《い》いはじめた。

先生《せんせい》が、力強《ちからづよ》く言《い》う。

「みんなも知《し》ってるだろ。最上《もがみ》がうちの塾《じゅく》で一番優秀《いちばんゆうしゅう》だって」

（…………一番《いちばん》…………優秀《ゆうしゅう》!?）

梓《あずさ》は怒《いか》りのあまり、机《つくえ》の上《うえ》にのせていた手《て》を、ぐっと強《つよ》く握《にぎ》りしめた。

最上《もがみ》と連絡《れんらく》がとれない？
集英進学塾
中学受験
え…
塾《じゅく》も休《やす》んでどうしたのかな
受験《じゅけん》のストレスでおかしくなっちゃったのかな
…何《なに》してんのあいつ
あいつは　そんなやわじゃないよ
皆《みんな》も知《し》ってるだろ

（一番優秀《いちばんゆうしゅう》なのは、私《わたし》だけど!?）

ちょうどそのとき、カバンのなかのスマートフォンが鳴《な》った。

とりだして見《み》てみると、〝D《ディー》クラスの子《こ》〟と表示《ひょうじ》されている。

藤名《ふじな》ミトからだ。梓《あずさ》はミトのことを、こんなふうに登録《とうろく》していたのだった。

教室内《きょうしつない》では電話禁止《でんわきんし》のため、ろうかにでて通話《つうわ》する。

『もしもし、梓《あずさ》ちゃん？　よかった電話《でんわ》にでてくれて』

「…………なに？」

不機嫌《ふきげん》な声《こえ》で返事《へんじ》をする。

ミトは慌《あわ》てているようだった。

『梓《あずさ》ちゃん、大変《たいへん》！　さっき友《とも》だちから聞《き》いたんだけど、挑戦者《ちょうせんしゃ》が死《し》んじゃったら、テンマンさんは、ひとつ前《まえ》の挑戦者《ちょうせんしゃ》に戻《もど》ってくるんだって！』

「は？　戻《もど》ってくる？　どういうことよ」

『だからね、もし梓《あずさ》ちゃんがクイズにこたえられなくて死《し》んじゃったら、テンマンさんが私《わたし》のところに戻《もど》ってくるの………』

「だからなによ」

『お願《ねが》い、梓《あずさ》ちゃん。死《し》なないでね』

なにを言《い》ってるんだろう。

梓《あずさ》はまた腹《はら》がたってきた。

『梓《あずさ》ちゃん、がんばってね…………』

そう言《い》うと、ミトはすぐに電話《でんわ》をきってしまった。

梓《あずさ》は茫然《ぼうぜん》とろうかにたたずみながら、なんて自分勝手《じぶんかって》なんだろうと思《おも》った。

(じゃあ、最上《もがみ》ゆんが死《し》んだら…………)

もし千問《もん》のクイズにこたえられず、おまけに他《ほか》の人《ひと》にうつせないままだとしたら、テンマンさんはまた梓《あずさ》のところに戻《もど》ってくる。

そう考《かんが》えると、背筋《せすじ》がぞっとした。

するとそのときだった。


……ガリ、ガリガリ…………ガリガリガリ………。

聞《き》き覚《おぼ》えのある音《おと》が、耳《みみ》に飛《と》びこんでくる。

ぎくりとして振《ふ》りかえると、ろうかのすみに、あのうす汚《よご》れた人影《ひとかげ》――テンマンさんが座《すわ》っていた。

（うそでしょ!?）

あわててまわりを見《み》まわしてみたが、ろうかを歩《ある》いている子《こ》どもたちも先生《せんせい》も、誰《だれ》もおどろいていない。

誰《だれ》ひとり、テンマンさんの姿《すがた》が見《み》えていないのだ。

見《み》えているのは、梓《あずさ》だけ。

テンマンさんは、からまった長《なが》い髪《かみ》をかきむしり、低《ひく》い声《こえ》でつぶやいた。

「……………けっ…………なんだっけぇ…………」

まさか、ここでクイズをだすつもりだろうか。

というか、どうしてここにいるのだろう。

そう思《おも》った瞬間《しゅんかん》、梓《あずさ》は気《き》づいたのだった。

（あいつが………最上《もがみ》ゆんが、死《し》んだんだ！）

千問《もん》のクイズにこたえられず、テンマンさんに負《ま》けたのだ。

そうでなければ、テンマンさんが、梓《あずさ》にだけ姿《すがた》が見《み》える形《かたち》でここにいる理由《りゆう》の説明《せつめい》がつかない。

梓《あずさ》のもとに戻《もど》ってきたのだ。

「はは……………バカなやつ。誰《だれ》かにうつせばいいのに。あ、そういや、うつす方法《ほうほう》は教《おし》えてなかったんだね」

梓《あずさ》はひきつった笑《え》みを浮《う》かべて言《い》いすてた。

「負《ま》けるなんて、やっぱりあいつ、優秀《ゆうしゅう》じゃないじゃん」

ガリガリ………ガリガリガリ………ガリ………。

テンマンさんは、梓《あずさ》の言葉《ことば》など無視《むし》して、ただろうかに座《すわ》りこみ、つむじをこちらにむけて頭《あたま》をガリガリかいている。

その姿《すがた》をじっと見《み》おろしているうちに、なんだか間抜《まぬ》けな化《ば》け物《もの》に思《おも》えてきた。

こんな化《ば》け物《もの》に、梓《あずさ》が負《ま》けるはずない。

「私《わたし》はクリアするわよ。だしてみなよ、クイズ！」

「………なんだっけぇぇ………百から一ひいた色《いろ》はぁぁ………なんだっけ………」

(は？　なに言《い》ってんの？　百から一で、色《いろ》？)

しかし、すぐにひらめいた。

「そっか、漢字《かんじ》で考《かんが》えればいいんだ。こたえは〝白《しろ》〟！」

こたえたとたん、テンマンさんの姿《すがた》はすうっと消《き》えていった。

梓《あずさ》の体《からだ》に、ふつふつと自信《じしん》がみなぎってくる。

「ほら見《み》ろ、正解《せいかい》だ！　絶対《ぜったい》に千問《もんぜん》全部《ぶ》正解《せいかい》してやるからっ！」

そう叫《さけ》ぶと、ろうかを歩《ある》いていた子《こ》たちが一斉《いっせい》に梓《あずさ》を見《み》た。

みんなぎょっとしている。

(やばい、忘《わす》れてた)

テンマンさんが自分《じぶん》にしか見《み》えていないことを、梓《あずさ》はすっかり忘《わす》れていたのだった。


夜《よ》ふけになっても、テンマンさんは梓《あずさ》の部屋《へや》に現《あらわ》れた。

ガリガリと頭《あたま》をかきむしり、低《ひく》い声《こえ》で問題《もんだい》をだす。

「十万、百万………千万………一億《おく》、十億《おく》………なんだっけ………」

これはただ前《まえ》の数字《すうじ》に十をかけていっただけ。誰《だれ》でもこたえられる。

「百億《おく》！」

正解《せいかい》すると、テンマンさんがすぅっと消《き》える。

そしてしばらくすると、また現《あらわ》れる。

「朝《あさ》は四本《ほん》……昼《ひる》は二本《ほん》……夕《ゆう》は三本《ぼん》……なんだっけ……」

これは有名《ゆうめい》ななぞかけだ。

スフィンクスが通《とお》りかかった旅人《たびびと》にこの質問《しつもん》をして、正解《せいかい》できなかったら食《た》べてしまったそうだ。

(簡単《かんたん》！　本数《ほんすう》は地面《じめん》につく足《あし》の数《かず》。赤《あか》ちゃんのときはハイハイをするから四本《ほん》、成長《せいちょう》すると二本《ほん》、老人《ろうじん》になると杖《つえ》を使《つか》うから三本《ぼん》、ってやつでしょ。ばかばかしい)

梓《あずさ》はすばやくこたえた。

「人間《にんげん》！」

正解《せいかい》だった。

消《き》えていくテンマンさんの姿《すがた》をながめながら、梓《あずさ》はニヤリと笑《わら》う。

(簡単《かんたん》。ぜんぜんいける)

テンマンさんがだす問題《もんだい》は、数《かず》をならべたり、なぞなぞだったり、十秒《びょう》も考《かんが》えなくたってこたえをだせるものばかりだ。

(こんなのにこたえられないなんて、バカばっかかじゃん)

千問《もん》こたえられずに死《し》んでしまった最上《もがみ》ゆんも、梓《あずさ》に言《い》わせれば、バカということだ。

その日《ひ》は家《いえ》で四十九個《こ》のクイズを解《と》いたあと、テンマンさんはでてこなくなった。

最初《さいしょ》の夜《よる》と明《あ》け方《がた》に五問、塾《じゅく》で一問《もん》解《と》いたから、全部《ぜんぶ》で五十五問《もん》クリアしたということ。

「千問《もん》あるんでしょ？　さっさと終《お》わらせたいな」

梓《あずさ》は何問《なんもん》のクイズに挑戦《ちょうせん》したか、きちんとカウントしていった。

テンマンさんがどういうタイミングで動《うご》いているのかわからないが、数分《すうふん》もおかずにでてくることもあるし、梓《あずさ》が食事《しょくじ》をしている間《あいだ》はでてこなかったりする。

(ごはんのときとか、寝《ね》てるときにでてこないなんて、気《き》がきいてるじゃん)

あのボサボサの髪《かみ》の毛《け》や、垢《あか》だらけの手足《てあし》が気持《きも》ち悪《わる》いけれど、クイズに正解《せいかい》すれば消《き》えるのだから、害《がい》はなさそうだ。

(っていうより、私《わたし》が優秀《ゆうしゅう》だから、テンマンさんもビビってるのかもね)

ふふふと、笑《わら》いがこみあげる。

「やっぱりさ、天才《てんさい》って私《わたし》みたいな人《ひと》のことを言《い》うんだよ。最上《もがみ》ゆんみたいなヤツじゃなくて。ハハハハ！」

次《つぎ》の日《ひ》は土曜日《どようび》だった。

梓《あずさ》が一日《いちにち》じゅう部屋《へや》にいることを知《し》っているのか、テンマンさんはひっきりなしにでてくる。

ガリガリ……ガリガリガリ……ガリ……。

「なんだっけぇぇ……五十わる二……なんだっけ……」

「二十五」

もちろん正解《せいかい》。

テンマンさんは、頭《あたま》をガリガリかきむしりながら、すうっと消《き》えていく。

「はぁ。簡単《かんたん》すぎて、ひっかけ問題《もんだい》かと思《おも》っちゃったよ」

朝食《ちょうしょく》は部屋《へや》で食《た》べると言《い》って、用意《ようい》してもらった。

ところが、ずっとクイズにこたえていた梓《あずさ》は、ごはんを食《た》べるのも忘《わす》れていた。

お昼前《ひるまえ》にドアをノックする音《おと》がして、母親《ははおや》が外《そと》から声《こえ》をかけてきた。

「梓《あずさ》ちゃん、朝《あさ》ごはん、ろうかにおきっぱなしじゃない。具合《ぐあい》でも悪《わる》いの？」

「悪《わる》くない。そこにおいといて。いま勉強《べんきょう》してるから、あとで食《た》べる」

「そう？　それならいいけど……」

階段《かいだん》をおりていく母親《ははおや》の足音《あしおと》が聞《き》こえてくる。

梓《あずさ》は、ちっとも空腹《くうふく》を感《かん》じなかった。

朝起《あさお》きてから、部屋《へや》の外《そと》にでたのは、トイレに行《い》った一回《いっかい》きりだ。あとはずっとテンマンさんのクイズにこたえている。

本当《ほんとう》は受験勉強《じゅけんべんきょう》をしなくちゃいけないのだけれど、いまは次々《つぎつぎ》とクイズに正解《せいかい》して、自分《じぶん》の天才《てんさい》ぶりに酔《よ》っていたかった。

なにしろ気持《きも》ちがいい。

「やっぱり私《わたし》って天才《てんさい》！」

テンマンさんは、暗記《あんき》テストのようなものも出題《しゅつだい》した。

「……水《みず》は……酸素《さんそ》と……なんだっっっけぇぇぇぇ……」

「水素《すいそ》！」

「ななななんだっけ……太陽系《たいようけい》のぉぉ……太陽《たいよう》に一番《いちばん》ん近《ちか》いぃぃぃ……惑星《わくせい》……なんだっけ……」

「水星《すいせい》〜♪」

こんなふうに、理科《りか》のようなクイズもあれば、

「何年《なんねん》だっけ……せ、関《せき》ヶ原《がはら》の……戦《たたか》い……なんだっけ……なんだっけ……」


「一六〇〇年《ねん》でしょ？　年表《ねんぴょう》なんて全部覚《ぜんぶおぼ》えてるって。何年生《なんねんせい》の問題《もんだい》だしてんの？」

「昭和《しょうわ》、昭和《しょうわ》の……前《まえ》は……なんだっっっけぇぇ」

「大正《たいしょう》。常識《じょうしき》だよ、常識《じょうしき》」

社会科《しゃかいか》のようなクイズもあった。

「どんな教科《きょうか》でもかかってきなよ！」

梓《あずさ》は自信満々《じしんまんまん》だ。

ポンポンと調子《ちょうし》よくこたえていくと、テンマンさんが問題《もんだい》をだす時間《じかん》も入《い》れて、だいたい一問《もん》につき一分《いっぷん》くらいのスピードでさばくことができた。

つまり、一時間《じかん》に六十問《もん》はいける。

梓《あずさ》は、土曜日《どようび》のうちに、なんと六百七十二問《もん》のクイズにこたえてしまった。

それまでの分《ぶん》と合《あ》わせて、七百二十七問《もん》。

「この分《ぶん》だと、明日《あした》には千問終《もんお》わりそうじゃない!?」

アハハハハ、と高笑《たかわら》いして、梓《あずさ》は気持《きも》ちよく眠《ねむ》りについた。

日曜日《にちようび》。

母親《ははおや》がドアの外《そと》においた食事《しょくじ》は、トレーごと部屋《へや》のなかに持《も》ちこんだ。でも食欲《しょくよく》がなくて、一《ひと》口《くち》も食《た》べずに放《ほう》りだしておいた。

部屋《へや》のドアは、外《そと》から開《あ》けられないように、キャビネットをおいてふさいである。

クイズにこたえるために、集中《しゅうちゅう》したかったのだ。

テンマンさんは、朝《あさ》からとだえることなく現《あらわ》れていた。

「…………なんんんだっけ…………オ、オーストラリアの首都《しゅと》ぉぉ…………なん、だっけぇぇ…………」

「シ…………じゃなくて、キャンベラ！」

テンマンさんが消《き》えていく。

（やばい。シドニーってこたえるところだった…………）

あやうくまちがえそうだったが、正解《せいかい》は正解《せいかい》だ。ほっと胸《むね》をなでおろす。

お昼《ひる》すぎになると、さすがに梓《あずさ》も疲《つか》れてきた。

鏡《かがみ》を見《み》てみたら、目《め》の下《した》にクマができている。

なにか食《た》べたほうがいいかもしれないと思《おも》い、トレーの上《うえ》のチャーハンに目《め》をやったが、少《すこ》しも食欲《しょくよく》がわかない。

大好《だいす》きなオレンジジュースもあったが、ちっとも飲《の》みたくならなかった。

「大丈夫《だいじょうぶ》、大丈夫《だいじょうぶ》。だってあと九十九問《もん》で終《お》わりだし……」

ふと、ミトが言《い》っていたことを思《おも》いだした。


——テンマンさんに脳《のう》をひきずりだされて、殺《ころ》されるって。


梓《あずさ》の体《からだ》がぶるっと震《ふる》えた。

もし正解《せいかい》できなかったら、殺《ころ》される。

最上《もがみ》ゆんのように。

そんなおそろしい想像《そうぞう》をはねのけようと、梓《あずさ》は手《て》のひらでパシパシと左右《さゆう》の頰《ほお》をたたき、深呼《しんこ》吸《きゅう》をした。

(わ、私《わたし》が正解《せいかい》できないなんてこと、絶対《ぜったい》にない……)

「だって私《わたし》、天才《てんさい》だからっ！」

ガリガリ………ガリガリ………。


あのいやな音《おと》がして、テンマンさんが現《あらわ》れる。

「なんだっけぇぇ………ブルキナファソの首都《しゅと》ぉぉぉ…………なんだっけぇ………」

(は!?　ブルキナファソ!?　そんなの知《し》らない!!)

しかし、迷《まよ》っている時間《じかん》はなかった。

十秒《びょう》以内《いない》に正解《せいかい》しないと、殺《ころ》されてしまうのだ。

(スマホ!!)

とっさに梓《あずさ》は、机《つくえ》の上《うえ》にあったスマートフォンをつかみ、震《ふる》える指《ゆび》で検索《けんさく》した。

(ブルキナファソ………あった、これだ!)

「ワ、ワガドゥグ!」


ガリ………ガリガリ………。

テンマンさんが頭《あたま》をかきむしっている。

検索《けんさく》して見《み》つけたこたえは、やっぱりズルとみなされて不正解《ふせいかい》になるのだろうか？


ガリ、ガリ……………ガリ……………。


息《いき》をとめ、梓《あずさ》はかたずをのんでテンマンさんを見《み》つめる。

数秒後《すうびょうご》、その姿《すがた》は、すうっとうすくなっていった。

力《ちから》の抜《ぬ》けた梓《あずさ》は、思《おも》わずぺたんと床《ゆか》に座《すわ》りこんだ。

(やった…………この方法《ほうほう》でもいいんだ…………助《たす》かった)

どうやら、とにかく正解《せいかい》を言《い》えばいいらしい。

そのあと何度《なんど》か、正解《せいかい》がわからない問題《もんだい》がでたが、梓《あずさ》はネットで検索《けんさく》してこたえた。

たしかに難易度《なんいど》があがっているようだ。調《しら》べないとこたえられない問題《もんだい》が、少《すこ》しずつだが増《ふ》えていっている。

「でも、とにかく正解《せいかい》しないとならないの、私《わたし》はっ！」

梓《あずさ》は着々《ちゃくちゃく》と正解《せいかい》していった。

九百五十問目《もんめ》が終《お》わり、九百八十問目《もんめ》が終《お》わり、九百九十問目《もんめ》が終《お》わり――――。

あと残《のこ》り四問《もん》。

そのとき、ドアをノックする音《おと》が聞《き》こえてきた。

「梓《あずさ》ちゃん？　食器《しょっき》、だしてくれない？」

母親《ははおや》だった。

「あとで！」

「あとでって……あなたずっとそう言《い》ってるじゃない。本当《ほんとう》に食《た》べてるの？」

「食《た》べてるよっ！　うるさい、邪魔《じゃま》しないでっ！」

梓《あずさ》がどなると、母親《ははおや》は「そんなにイライラしないでよ」と文句《もんく》を言《い》いながら階段《かいだん》をおりていった。

（あと四問《もん》……あと四問《もん》でクリアなんだから、邪魔《じゃま》すんな……）

梓《あずさ》は髪《かみ》をぐしゃぐしゃとかきむしり、荒《あら》い呼吸《こきゅう》をしながら、部屋《へや》のなかを歩《ある》きまわった。

「ハァハァ……邪魔《じゃま》すんな……邪魔《じゃま》すんな……」

そのとき。

ガリガリ………ガリ………。

あの音《おと》が聞《き》こえてきて、はっと顔《かお》をあげる。

テンマンさんが現《あらわ》れた。

「………なんだっけ………三、一四一五九二………なんだっけぇぇぇ………」

「え、円周率《えんしゅうりつ》？　えと、六！」

テンマンさんが消《き》えていく。

正解《せいかい》だ。梓《あずさ》は血走《ちばし》った目《め》で叫《さけ》んだ。

「円周率《えんしゅうりつ》なんて、小数点《しょうすうてん》以下《いか》二十ケタまで覚《おぼ》えてるし！」

あと三問《もん》。

「二、三、五、七、十一、十三、十七、十九………なんだっけ………なんだっけぇぇぇぇ
………」

(素数《そすう》なのはわかったけど、十九の次《つぎ》は………えっと、二十九？　ちがう！)

「二十三！」

正解《せいかい》。

テンマンさんの姿《すがた》がしだいにうすくなっていく。

しかし、消《き》えきらないうちに、テンマンさんのシルエットは濃《こ》くなっていき、元《もと》のはっきりした形《かたち》に戻《もど》ってしまった。


（え？　なんで消《き》えないの？）

梓《あずさ》のあせりなど関係《かんけい》なく、テンマンさんはすぐさま次《つぎ》のクイズをだしてきた。

「なんだっっっけぇ……十三の三乗《じょう》………なんだっけぇ………」

（ちょっと待《ま》って！）


――問題《もんだい》がすすむたび、難易度《なんいど》があがっていくんだって。


（これ、難《むずか》しいっていうよりスピード勝負《しょうぶ》の計算問題《けいさんもんだい》じゃん！）

梓《あずさ》はとっさに暗算《あんざん》した。

「えっと、えっと………二千百九十七！」

梓《あずさ》はじっと立《た》ちつくしたまま、テンマンさんが消《き》えるのを待《ま》つ。

次《つぎ》が最後《さいご》の問題《もんだい》だ。

ところが、数秒《すうびょう》たっても消《き》えてくれない。

(絶対《ぜったい》まちがってないのに、なんで消《き》えないの!?)

しかし、さっきも消《き》えきらずに次《つぎ》のクイズをだしたのだ。正解《せいかい》でも消《き》えないことがあるのかもしれない。

テンマンさんは、頭皮《とうひ》から出血《しゅっけつ》するのではないかというくらいに、激《はげ》しく頭《あたま》をかきむしっている。

やがて、問題《もんだい》をだしはじめた。

「なんだっけぇぇぇ………」

(やっぱり、さっきのは正解《せいかい》だったんだ)

ほっとした梓《あずさ》は、気《き》をとりなおし、質問《しつもん》を聞《き》きのがすまいと耳《みみ》に意識《いしき》を集中《しゅうちゅう》した。

これが最後《さいご》。

千問目《もんめ》。

ラストのクイズ。

「なんだっけ………なんんんだっっけぇぇぇ…………」

ガリ、ガリガリ……ガリガリ、ガリガリガリ………。

頭《あたま》をかきむしったあと、テンマンさんは、早口《はやくち》で言《い》った。

「さんのじじょうかけるごひくごのじじょうかけるきゅうたすさんのじじょうかけるきゅうひくさんかけるごのじじょうたすにひゃくなな……なんだっけ……」

梓《あずさ》は凍《こお》りついた。

（そ、そんなの十秒《びょう》で………）

でも、あきらめるわけにはいかない。机《つくえ》にあったノートに、聞《き》きとった問題《もんだい》をなぐり書《が》きする。

（たぶん、たぶんこれ、因数分解《いんすうぶんかい》するんだ！）

十秒以内《びょういない》にこたえないと。

早《はや》く計算《けいさん》しないと。

よけいなことを考《かんが》えるな。

毎日《まいにち》死《し》ぬ気《き》で勉強《べんきょう》してきたんだ。

私《わたし》は、みんなみたいなバカとはちがう。

(私《わたし》ならできる!!)

梓《あずさ》は顔《かお》をあげて叫《さけ》んだ。

「四十三!!!」

ガリガリと頭《あたま》をかきむしっていたテンマンさんの手《て》が、ぴたりととまった。

「やった………」

正解《せいかい》だ。

「私《わたし》、天才《てんさい》! 天才《てんさい》!」

梓《あずさ》はだらだら汗《あせ》を流《なが》し、血走《ちばし》った目《め》をカッと見開《みひら》いて笑《わら》う。

「天才《てんさい》! 最上《もがみ》ゆんより天才《てんさい》! あはははは!」

大笑《おおわら》いしながらぴょんぴょん跳《と》びはね、叫《さけ》ぶ。

気分《きぶん》がたかぶって、じっとしていられなかった。

「千問全部正解《もんぜんぶせいかい》したんだから! 早《はや》く消《き》えてよっ!」

しかし、テンマンさんは消《き》えなかった。

かわりに、かすれた低《ひく》い声《こえ》でぼそりとつぶやく。

「不正解《ふせいかい》」


「え？」

梓《あずさ》の目《め》の前《まえ》で、下《した》をむいていたテンマンさんの顔《かお》が、少《すこ》しずつあがっていった。

現《あらわ》れた顔《かお》には、目《め》も鼻《はな》も口《くち》も、耳《みみ》もない。

全部《ぜんぶ》がつぶれたように消《き》えている。

テンマンさんは、垢《あか》だらけのやせた指《ゆび》で、ぼさぼさの髪《かみ》をゆっくりとかきわける。

額《ひたい》が見《み》えた。

ぱっくりと割《わ》れて、傷口《きずぐち》に血《ち》がこびりついている。

割《わ》れた頭蓋骨《ずがいこつ》から飛《と》びだしているのは、灰色《はいいろ》の脳《のう》みそだ。

次《つぎ》の瞬間《しゅんかん》、テンマンさんは、がばりと立《た》ちあがり、とびかかってきた。

「不《ふ》、正《せい》、解《かい》！」

「いやぁあぁ…………あぁぁあぁ…………っ」

梓《あずさ》はひきずるような悲鳴《ひめい》をあげながらその場《ば》に倒《たお》れ、やがて動《うご》かなくなった。

翌日《よくじつ》。

最上《もがみ》ゆんは、学校《がっこう》をサボり、家《いえ》で数学《すうがく》の問題《もんだい》を解《と》いていた。

「おもしろかったなぁ、あのクイズゲーム」

リビングルームのテーブルにひろげたノートには、小《ちい》さな文字《もじ》で数式《すうしき》がずらっと書《か》いてあった。

どれも大学生《だいがくせい》が解《と》くレベルの問題《もんだい》だ。

「今度《こんど》はもっと難《むずか》しいのだしてほしいな☆」

テレビでは午後《ごご》のニュース番組《ばんぐみ》が流《なが》れている。

『小《しょう》六児童《じどう》　自宅《じたく》で死亡《しぼう》　事故《じこ》か』

とテロップにあり、司会者《しかいしゃ》とコメンテーターが深刻《しんこく》そうな顔《かお》で話《はな》していた。

「自宅内《じたくない》で〝脳脱状態《のうだつじょうたい》〟で発見《はっけん》されたということですが………」

「謎《なぞ》が深《ふか》まるばかりですね」

ゆんはニュースには目《め》もくれず、鼻歌《はなうた》まじりで数式《すうしき》を書《か》いていくのだった。

エピローグ

百四十四時間目《ひゃくよんじゅうよじかんめ》はいかがでしたか。

テンマンさんのクイズを終《お》わりにする方法《ほうほう》は、実《じつ》は三《みっ》つありました。

他人《たにん》にうつすこと。

クイズにこたえられずに死亡《しぼう》すること。

全問正解《ぜんもんせいかい》すること。

三《みっ》つ目《め》の方法《ほうほう》を、いままで誰《だれ》も知《し》らなかったようです。

いままで成功者《せいこうしゃ》がいなかったからでしょう。

勝負《しょうぶ》に勝《か》ったのは、真《しん》の天才《てんさい》でした。

本当《ほんとう》の天才《てんさい》というものは、他《ほか》の人《ひと》をバカにしたり、おとしめたりしないのかもしれません。

もしかしたら、そもそも他人《たにん》のことなんて気《き》にしないのかも？

逆《ぎゃく》に、他人《たにん》を見《み》くだしたり、ねたんだりする人《ひと》は、テンマンさんにつけこまれます。

さあ、このスリリングなゲーム。

みなさんも挑戦《ちょうせん》してみませんか。

参加方法《さんかほうほう》は簡単《かんたん》。

たったひとこと、こう宣誓《せんせい》してください。

「私《わたし》はテンマンさんに挑戦《ちょうせん》します」

145時《じ》間《かん》目《め》

イートマン

プロローグ

みなさん、休憩時間《きゅうけいじかん》はもう終《お》わりましたよ。
さあ、百四十五時間目《ひゃくよんじゅうごじかんめ》の授業《じゅぎょう》をはじめましょう。
みなさんは、小《ちい》さかったころにこんなことを言《い》われたことはありませんか？
「悪《わる》い子《こ》のところには○○が来《く》るぞ！」
そんな化《ば》け物《もの》は実際《じっさい》にいないとわかっていても、こわいですよね。
たとえば、怠《なま》け者《もの》や泣《な》く子《こ》をさがしまわるナマハゲ。
昔《むかし》から伝《つた》わるこの行事《ぎょうじ》、みなさんも知《し》っていますよね。
ヨーロッパには、悪《わる》い子《こ》をさらっていくブギーマンというお化《ば》けがいるそう。
大《おお》きな袋《ふくろ》を持《も》っていて、そのなかに子《こ》どもを入《い》れてしまうんですって。
今回《こんかい》の授業《じゅぎょう》に登場《とうじょう》するのは「イートマン」です。
ハロウィンの日《ひ》に悪《わる》い子《こ》のところにやってくる化《ば》け物《もの》だそう。

こういった化《ば》け物《もの》、誰《だれ》かをこわがらせるにはぴったりかもしれません。
たとえば、あなたの気《き》に食《く》わない人《ひと》や、ライバル視《し》している人《ひと》。
そういった人《ひと》がこわがる様子《ようす》を見《み》て、心《こころ》のなかでほくそ笑《え》む……。
仕返《しかえ》しされるかも、ですって？
もちろんそのあたりは、自己責任《じこせきにん》でお願《ねが》いします。

秋《あき》らしく涼《すず》しい夜《よる》のことだった。

中学《ちゅうがく》二年生《ねんせい》の八岡由宇《はちおかゆう》は、一時間《じかん》ほどずっと部屋《へや》のなかにこもっていた。

『でね、林《はやし》くんにつきあおうって言《い》われちゃってー』

と、牧村《まきむら》りりかの得意《とくい》げな声《こえ》が、照明《しょうめい》を落《お》とした部屋《へや》にひびく。

「え？　りりか、また男子《だんし》に告《こく》られたの？　今月何人目《こんげつなんにんめ》？」

『う～ん、三人目《にんめ》？』

「まじか………」

机《つくえ》の上《うえ》に開《ひら》いたノートパソコンには、幼《おさな》なじみの牧村《まきむら》りりかが映《うつ》っている。

ふたりはそれぞれの家《いえ》で、一時間《じかん》もビデオ通話《つうわ》をしているのだった。

「りりかってもてるよね～」

由宇《ゆう》はあきれ、机《つくえ》に頬《ほお》づえをついた。

でね
林《はやし》くんに
つき合《あ》おうって
言《い》われちゃってー
え
また男子《だんし》に
告《こく》られたの？
今月
何人目？
りりかって
もてるよね～
そんなこと
ないよ　由宇《ゆう》
普通《ふつう》だよ～
りりかが
普通《ふつう》だったら
私《わたし》はどうなるの

りりかのモテ話《ばなし》は、昔《むかし》から耳《みみ》にタコができるほど聞《き》いてきたのだ。もはやひきつった笑《わら》いしかでてこない。

『そんなことないよ、由宇《ゆう》。ふつうだよ〜』

画面《がめん》のなかのりりかは眉尻《まゆじり》をさげて、否定《ひてい》するように手《て》をふるふると振《ふ》った。

りりかは、長《なが》くてやわらかい髪《かみ》を両《りょう》サイドでハーフアップのおだんごにしている。

そのヘアスタイルはかわいらしくて、本当《ほんとう》にりりかに似合《にあ》っていた。

着《き》ている部屋着《へやぎ》も、オフショルダーのカットソーとショートパンツのセットアップ。胸《むね》やすそにフリルがついていてオシャレだ。

「りりかがふつうだったら、私《わたし》はどうなるの」

りりかは、由宇《ゆう》しか見《み》せる相手《あいて》はいないのに、あんなにかわいい部屋着《へやぎ》を着《き》ている。

かたや由宇《ゆう》は、シンプルなT《ティー》シャツにジーンズだ。

「もう、部屋着《へやぎ》からしてちがうじゃん？　それ、高《たか》いやつでしょ？」

『うん、いいでしょ。先月《せんげつ》、パパに買《か》ってもらったの』

「こないだも服《ふく》買《か》ってもらってなかった？」

『だって、うちの親《おや》、ねだるとなんでも買《か》ってくれるからさ』

ひとりっ子《こ》のりりかは、親《おや》になんでも買《か》ってもらえる。

しかも、由宇《ゆう》の家《いえ》とちがって、父親《ちちおや》が一流企業《いちりゅうきぎょう》で働《はたら》いている。お金持《かねも》ちだ。

ちょうど新築《しんちく》の家《いえ》に引《ひ》っ越《こ》したばかりで、りりかの部屋《へや》は前《まえ》よりぐんと広《ひろ》くなった。

画面《がめん》に映《うつ》っている部屋《へや》は、りりかのずっとうしろに入《い》り口《ぐち》のドアが見《み》え、そのとなりには大《おお》きなウォークインクローゼットがあった。

あのなかに、たくさんのオシャレな服《ふく》が入《はい》っているのだろう。

「部屋着《へやぎ》、似合《にあ》ってるよ」

『でしょ〜。由宇《ゆう》も、もうちょっと服《ふく》とか髪《かみ》とか、そういうのに気《き》をつかいなよ。肌《はだ》とか荒《あ》れてるよ？』

「私《わたし》がオシャレしても似合《にあ》わないし。りりかとちがうんだから」

『えー。私《わたし》、ふつうだってば』

「だーかーらー、りりかがふつうだったら私《わたし》はどうなるのよ」

由宇《ゆう》がむくれると、りりかは『ぷっ』と噴《ふ》きだした。

『あはは』

「あははって………」

りりかは大《おお》きな口《くち》を開《あ》けて笑《わら》っている。

(そういうところなんだよなぁ)

幼《おさな》なじみの、牧村《まきむら》りりか。

アイドルのようにかわいくて、自信家《じしんか》で、口《くち》が悪《わる》い。

性格《せいかく》にちょっと難《なん》ありだけど、昔《むかし》からとにかくもてる。

小学校《しょうがっこう》の卒業式《そつぎょうしき》のあとなんて、別《わか》れを惜《お》しむ男子《だんし》たちにかこまれていた。

その真《ま》ん中《なか》で、うれしそうににこにこ微笑《ほほえ》んでいるりりかの姿《すがた》を、いまでも覚《おぼ》えている。

(私《わたし》とは正反対《せいはんたい》…………)

由宇《ゆう》はどちらかというと、自分《じぶん》に自信《じしん》がないし、なるべくみんなと仲良《なかよ》く、波風《なみかぜ》たたせないようにふるまうタイプだ。

りりかが、歌《うた》うように言《い》った。

『でもー、もてすぎもよくないよ』

(まだ自分《じぶん》のモテ話《ばなし》をつづけるつもりなんだ…………)

由宇《ゆう》はうんざりしながらも、相《あい》づちを打《う》った。

「ふーん。そうなの?」

『だって、山倉《やまくら》くんみたいなキモいやつにも告《こく》られちゃうんだから』

「ああ……山倉《やまくら》くん……」

『思《おも》いだしただけで、イヤ！』

「ひどいなぁ」

画面《がめん》のなかのりりかは、眉間《みけん》にしわを寄《よ》せ、ぶるっと震《ふる》えてみせた。

(そこまで気持《きも》ち悪《わる》そうにしなくてもいいのに)

山倉一《やまくらはじめ》は、クラスの中《なか》でもおとなしくて目立《めだ》たない男子《だんし》だった。

眼鏡《めがね》をかけていてひょろりと背《せ》が高《たか》く、サイズが合《あ》わなくなった学《がく》ランをいつまでも着《き》ている
ような人《ひと》だ。

小《ちい》さな声《こえ》でぼそぼそ話《はな》すから、なにを言《い》っているのかよくわからない。

いつもひとりで席《せき》に座《すわ》っていて、友《とも》だちもいないようだった。

「キモいとか言《い》わないほうがいいって」

『だって本当《ほんとう》にキモいんだもん』

一《はじめ》がりりかに告白《こくはく》したのは、二か月《げつ》ほど前《まえ》のことだ。

ある日《ひ》の昼休《ひるやす》み、りりかと由宇《ゆう》がろうかを歩《ある》いていると、突然《とつぜん》やってきた一《はじめ》に呼《よ》びとめられた。

ふだんは無表情《むひょうじょう》で暗《くら》い顔《かお》をしている一《はじめ》が、そのときは頬《ほお》をそめて微笑《ほほえ》んでいた。

――ぼ、僕《ぼく》がどれだけあなたのことを好《す》きか、証明《しょうめい》してみせましょう。

一《はじめ》がそう言《い》うと、りりかは、ぽかんと口《くち》を開《あ》けていたっけ。

『よく私《わたし》のとこに来《こ》れたよねー。自分《じぶん》の顔《かお》、鏡《かがみ》で見《み》ろっつーの!!』

「そこまで言《い》わなくても」

『山倉《やまくら》くんと私《わたし》じゃ、住《す》む世界《せかい》がちがうんだって!』

「…………性格悪《せいかくわる》いぞー」

『ていうか、あんただって、もっと服《ふく》とかヘアスタイルとかかわいくしていかないと、あっちの世界《せかい》の人《ひと》になっちゃうからね?』

「はいはい」

由宇《ゆう》はため息《いき》をついた。

(こんなだから、クラスの女子《じょし》から嫌《きら》われてんだろうな…………)

『聞《き》いてる? 由宇《ゆう》!』

「聞《き》いてますよ~」

由宇《ゆう》は、てきとうな返事《へんじ》をして、画面《がめん》から視線《しせん》をそらした。

ふいに、机《つくえ》の上《うえ》に飾《かざ》ってある写真《しゃしん》が目《め》にとまる。

それは、小学校《しょうがっこう》の卒業式《そつぎょうしき》のあとに撮《と》った写真《しゃしん》だった。

由宇《ゆう》とりりかがならんで立《た》つうしろに、数人《すうにん》の男子《だんし》たちが立《た》っている。彼《かれ》らはみんなりりかのファンだ。

（私《わたし》も、なんでこんな子《こ》とずーっと一緒《いっしょ》にいるんだろ…………）

理由《りゆう》はわかっている。

かわいそうだから、だ。

りりかのまわりには、男子《だんし》は集《あつ》まってくるけれど、女子《じょし》の友《とも》だちはひとりもいない。

たまに、かわいいりりかと仲良《なかよ》くしておけば得《とく》すると思《おも》って近《ちか》づいてくる女子《じょし》もいるが、たいていは愛想《あいそ》をつかす。

りりかの性格《せいかく》のせいだった。

『それでさぁ――――』

りりかは、髪《かみ》をくるくるといじりながらしゃべりはじめた。

しかし、そのときだった。

ミシィ………。


画面《がめん》のむこう、りりかの背後《はいご》から奇妙《きみょう》な音《おと》が。

りりかは髪《かみ》をいじっていた手《て》をとめ、音《おと》のした方向《ほうこう》をさがすように、少《すこ》し首《くび》を動《うご》かした。

由宇《ゆう》も思《おも》わず息《いき》をひそめてしまった。

「………なんの音《おと》？」

『え………家鳴《やな》りじゃない？　ウチ、よくああいう音《おと》するよ？』

「そっか、それならいいんだけど」

『こっちで音《おと》がしたのに、なんで由宇《ゆう》がビビってんのよ〜』

「そうだね。ははは………」

(家鳴《やな》りかぁ。私《わたし》のほうであんな音《おと》がしたら、私《わたし》、もっとビビってたかも)

由宇《ゆう》はこわがりだ。きっと大騒《おおさわ》ぎしていただろう。

けれど、りりかはあまり気《き》にしていないのか、すぐに元《もと》どおりの様子《ようす》に戻《もど》り、また髪《かみ》をいじっている。

そんな姿《すがた》を見《み》ているうちに、由宇《ゆう》にちょっとだけいじわるな気持《きも》ちが芽生《めば》えた。

（もっとこわがってもよくない？　こわがらせてみよう………）

由宇《ゆう》は、わざと低《ひく》い声《こえ》で言《い》ってみる。

「山倉《やまくら》くんの悪口《わるぐち》言《い》ったから、山倉《やまくら》くんの生《い》き霊《りょう》が来《き》たのかもよ〜」

『やだ、キモい〜』

（キモいだけかい！）

りりかはちっともこわがらない。

それどころか、おもしろそうにケラケラ笑《わら》っている。

（なにかもっと、こわがりそうなもの………）

あれこれ考《かんが》えていた由宇《ゆう》に、突然《とつぜん》ひらめいた。

「あ！」

『なに!?』

「イートマンだったりしてぇ〜！」

それを聞《き》いた瞬間《しゅんかん》、りりかの表情《ひょうじょう》がかたまる。

『は………？』

あきらかに動揺《どうよう》している。

『イ、イートマン？』

由宇《ゆう》はしめしめと思《おも》い、話《はなし》をつづけた。

「ほらぁ、ハロウィンの時期《じき》になるとやってくる化《ば》け物《もの》だよ」

『え、えっと……そうだったっけ？』

「小学生《しょうがくせい》のころ、流行《はや》ったじゃん。覚《おぼ》えてないの？」

『覚《おぼ》えてないわけじゃ……』

小学生《しょうがくせい》のころから、りりかはイートマンをひどくこわがっていた。だから、思《おも》いだしたくもないのだろう。

「しょうがないなぁ。じゃあ、教《おし》えてあげるよ。昔《むかし》、家出《いえで》や夜遊《よあそ》びしてる悪《わる》い子《こ》どもを誘拐《ゆうかい》して、自分《じぶん》ちの地下室《ちかしつ》で食《た》べてた男《おとこ》がいたんだって」

『う、うん』

りりかは肩《かた》をすくめ、画面越《がめんご》しに由宇《ゆう》のことをじっと見《み》つめた。

「その男《おとこ》は、ハロウィンの日《ひ》に処刑《しょけい》されたんだけど、十月《がつ》三十一日《にち》になると子《こ》どもの肉《にく》を求《もと》めて、そいつが墓《はか》から這《は》いでてくるらしいよ」

イートマンは黒《くろ》いタイトなスーツを着《き》た化《ば》け物《もの》だった。

黒《くろ》いつば広《ひろ》の帽子《ぼうし》をかぶり、ひょろひょろと背《せ》が高《たか》くて手足《てあし》が長《なが》い。

墓《はか》から這《は》いでてくるためか、湿《しめ》った土《つち》のにおいがするのだという。

「イートマンは、りりかみたいな悪《わる》～い子《こ》どもの肉《にく》を食《た》べに…………」

りりかは急《きゅう》に口《くち》をつぐみ、そわそわと背後《はいご》を気《き》にしている。

(めちゃくちゃこわがってるじゃん)

由宇《ゆう》はおもしろくなってしまった。あははと大声《おおごえ》で笑《わら》いだす。

「りりか、昔《むかし》からイートマンのことこわがりすぎ～」

『そんなことないしっ』

「笑《わら》える～。だって、イートマンなんてただの都市伝説《としでんせつ》だよ？」

『べ、別《べつ》に信《しん》じてないし』

「あははは！」

由宇《ゆう》がお腹《なか》を抱《かか》えて笑《わら》うと、りりかは頬《ほお》をふくらませて、あざとくすねた。

『それに私《わたし》、悪《わる》いことなんかしてないから、うちには来《こ》ないもん』

「そうかなぁ～。だって今日《きょう》は十月《がつ》三十一日《にち》、ハロウィンだよ？」

『由宇《ゆう》!!　もう、通話《つうわ》きるからねっ!!』

りりかがにらみつけてくる。本気《ほんき》で怒《おこ》りはじめたようだ。暑《あつ》くはないはずなのに、りりかの額《ひたい》に汗《あせ》が浮《う》かんでいる。

「ごめんごめん」

そう言《い》って、由宇《ゆう》が笑《わら》うのをやめたときだった。

りりかの背後《はいご》に映《うつ》っているドアに、異変《いへん》があった。

ドアにはガラスのスリットが入《はい》っているのだが、それが明《あか》るくなっている。つまり、ドアの外《そと》のろうかに、明《あ》かりがついたのだった。

（あれ？　ろうかの電気《でんき》…………ついてたっけ？）

さっきまではついてなかったはずだ。

由宇《ゆう》は不審《ふしん》に思《おも》い、たずねた。

「…………りりか、今日《きょう》ひとりだよね？」

『え、うん。パパたち海外《かいがい》に出張《しゅっちょう》してる。なんで？』

「や…………ろうかの電気《でんき》…………」

りりかは『えっ？』と小《ちい》さな声《こえ》で言《い》い、うしろを振《ふ》りかえった。

そして立《た》ちあがり、ドアの近《ちか》くへ歩《ある》いていく。

あれ？
廊下《ろうか》の電気《でんき》…
ついてたっけ
…りりか今日《きょう》1人《り》だよね？
え…うん
パパ達《たち》海外《かいがい》に出張《しゅっちょう》してる
…何《なん》で？

『ああっ。人感《じんかん》センサーね、いま壊《こわ》れてるの』

そういえば、りりかの新《あたら》しい家《いえ》には、人感《じんかん》センサーで点灯《てんとう》する明《あ》かりがたくさん使《つか》われていた。

玄関《げんかん》や門《もん》の外《そと》、階段《かいだん》、ろうか。みんな人感《じんかん》センサーの照明《しょうめい》だった。

由宇《ゆう》の家《いえ》にはないので、遊《あそ》びに行《い》ったときに物珍《ものめずら》しく見《み》ていたら、りりかに「あんたんちにはないもんね」と笑《わら》われた。

りりかは部屋《へや》のドアを開《あ》けて、ろうかの左右《さゆう》を見《み》ている。

『も〜、由宇《ゆう》〜。おどかさないでよ〜』

すると、画面《がめん》のなかから、ブーッ、ブーッ、と規則正《きそくただ》しい音《おと》が聞《き》こえてきた。

これは別《べつ》にあやしい音《おと》ではない。まちがいなく、スマートフォンのバイブレーション音《おん》だ。

「りりか、スマホ鳴《な》ってる」

部屋《へや》のドアを閉《し》め、パソコンの近《ちか》くまで戻《もど》ってきたりりかは、机《つくえ》の上《うえ》に視線《しせん》を落《お》とした。

『あ、ごめん。彼氏《かれし》だ』

「彼氏《かれし》って……」

『そう、秋津《あきつ》くん。ちょっと電話《でんわ》でてもいいかな』

由宇《ゆう》がこたえる前《まえ》に、りりかは机《つくえ》の上《うえ》からスマートフォンをとりあげ、耳《みみ》にあてた。

そのまま話《はな》しはじめる。

『は――い、秋津《あきつ》くん♡』

りりかは幸《しあわ》せそうに笑《わら》い、電話《でんわ》をしながら、またドアのほうへ歩《ある》いていった。

『うん。大丈夫《だいじょうぶ》だよ。別《べつ》になにもしてなかったし』

(え？　私《わたし》とビデオ通話中《つうわちゅう》じゃん)

りりかは、調子《ちょうし》のいいうそをついている。

(うそつきめ)

しかも、わざとなのか、それともなにも考《かんが》えていないのか、ちょうどカメラに映《うつ》る位置《いち》で電話《でんわ》をしていた。

つまり、彼氏《かれし》と楽《たの》しそうに電話《でんわ》する姿《すがた》が、ずっとパソコンに映《うつ》ったままなのだ。

『えーっ？　いいよいいよ。行《い》き先《さき》は秋津《あきつ》くんにまかせるし～』

りりかは、由宇《ゆう》のことなんて忘《わす》れてしまったかのように、パソコンに背中《せなか》をむけて、電話《でんわ》をつづけている。

(このままずっと、彼氏《かれし》と電話《でんわ》するりりかを見《み》せられるのかなぁ)

由宇《ゆう》は組《く》んだ手《て》を頭《あたま》のうしろにやり、椅子《いす》の背《せ》もたれによりかかって、ぼうっと画面《がめん》に目《め》をむけていた。

りりかと秋津涼太《あきつりょうた》がつきあいはじめたのは、一《いっ》か月《げつ》ほど前《まえ》だった。

(あーあ。りりかって本当《ほんとう》もてるよなぁ………。私《わたし》が好《す》きになった男子《だんし》も全員《ぜんいん》、この子《こ》を好《す》きになっちゃうんだもん)

そして。

小学校《しょうがっこう》三年生《ねんせい》のときに好《す》きだった、クラスの男子《だんし》も。

六年生《ねんせい》のときに好《す》きだった、同《おな》じ塾《じゅく》の男子《だんし》も。

(秋津《あきつ》くんも)

涼太《りょうた》は同《おな》じ小学校出身《しょうがっこうしゅっしん》で、中学校《ちゅうがっこう》一年生《ねんせい》のときには同《おな》じクラスだった。

やさしくて、笑顔《えがお》が温《あたた》かくて、誰《だれ》ともわけへだてなく仲良《なかよ》くしてくれる、そんな男子《だんし》。

目立《めだ》たない由宇《ゆう》にも気《き》さくに話《はな》しかけてくれた。

由宇《ゆう》はそのころからずっと、涼太《りょうた》のことが好《す》きだった。

机《つくえ》の上《うえ》においてある卒業式《そつぎょうしき》の写真《しゃしん》も、涼太《りょうた》が写《うつ》っているから飾《かざ》っているのだった。

(でも、完全《かんぜん》に片思《かたおも》いだったけど)

ずっと気持《きも》ちをかくしたまま、誰《だれ》にも打《う》ち明《あ》けずにいままで秘密《ひみつ》にしていた。そうこうしているうちに、りりかとくっついてしまった。

由宇《ゆう》が好《す》きになる男子《だんし》は、全員《ぜんいん》りりかを好《す》きになってしまう。

(みんな、みーんな………)

と、ため息《いき》をついた、そのときだった。

パソコンの画面《がめん》のなかを、黒《くろ》い人影《ひとかげ》がスッと横切《よこぎ》った。

ちょうど、りりかとパソコンの間《あいだ》だ。なにかが見《み》えた。

由宇《ゆう》は思《おも》わず組《く》んでいた手《て》をはずし、目《め》を丸《まる》くした。

「え………え!?」

由宇《ゆう》は立《た》ちあがり、画面《がめん》に顔《かお》を近《ちか》づけた。

いま見《み》えたのは、絶対《ぜったい》に人影《ひとかげ》だった。

でも、りりかはいま、ひとりで家《いえ》にいるはずだ。

「ちょっと、りりか!」

そう叫《さけ》ぶと、画面《がめん》のなかのりりかが振《ふ》りかえり、電話相手《でんわあいて》の涼太《りょうた》に言《い》った。

『ごめん、なんかいま………いま、実《じつ》は由宇《ゆう》とビデオ通話《つうわ》してたんだけどさ………』

りりかは迷惑《めいわく》そうな顔《かお》をして電話《でんわ》を耳《みみ》からはなし、パソコンのほうへむかってきて言《い》った。

『もう、なによ』

「さっき誰《だれ》か通《とお》った!!」

由宇《ゆう》は必死《ひっし》に訴《うった》えた。

見《み》まちがいなんかじゃない。なにかがその家《いえ》にいる。

『え…………!?　誰《だれ》もいないけど…………』

「いま、黒《くろ》い服《ふく》の…………」

りりかが部屋《へや》のなかを見《み》まわしている。

「イ、イートマンみたいな…………」

『はぁ?』

彼氏《かれし》と電話中《でんわちゅう》で気《き》が大《おお》きくなっているのか、さっきのようにおびえていなかった。

それどころか、由宇《ゆう》をばかにするように笑《わら》った。

『またイートマンの話《はなし》!?　こわがらせるのやめてよね!!』

べーッと舌《した》をだして、りりかはまた電話《でんわ》をはじめてしまった。

『もしもし、秋津《あきつ》くん?　ごめんねー』

「ちが…………」

本当《ほんとう》にあやしい影《かげ》を見《み》たのだ。

もし、どろぼうや……化《ば》け物《もの》だったら、大変《たいへん》なことになる。

由宇《ゆう》はもう一度《いちど》、画面《がめん》に映《うつ》るりりかの部屋《へや》を、あちこちくまなく見《み》まわした。

すると、視界《しかい》のはしで、なにかが動《うご》いた。

(なに!?)

ウォークインクローゼットの扉《とびら》が、少《すこ》しだけ開《ひら》いている。

さっきまでは、完全《かんぜん》に閉《し》まっていたはずだ。

(え……どうして……)

由宇《ゆう》が目《め》をこらすと、クローゼットの内側《うちがわ》から、黒《くろ》い手《て》がそっとでてきた。

(え!?)

手《て》は、扉《とびら》をゆっくりと押《お》しあけている。

「りりか……!!」

電話中《でんわちゅう》のりりかがこっちをむいた。

「う、うしろ……」

由宇《ゆう》がそう言《い》うと、りりかはきょとんとして、クローゼットのほうへ振《ふ》りかえる。そして、ゆっくりと扉《とびら》へ近《ちか》づいていった。

「え…………あ、開《あ》けちゃだめだよ…………」

開《あ》けたらなにがでてくるかわからない。

しかし、由宇《ゆう》の声《こえ》が聞《き》こえていないのか、りりかはクローゼットにむかう足《あし》を速《はや》めた。

「だめ…………」

りりかの手《て》が、扉《とびら》の取《と》っ手《て》を握《にぎ》った。

「なかに誰《だれ》かいる！　だめ、開《あ》けちゃ────」

扉《とびら》が思《おも》いきり開《あ》けられた。

しかし、そのなかに入《はい》っていたのは、りりかの服《ふく》や靴《くつ》、衣装《いしょう》ケース、カゴだけ。

人影《ひとかげ》らしきものは見《み》えない。

(誰《だれ》もいない…………？)

りりかがとうとう怒《おこ》りだした。

『もういいかげんにしてよ。さっきから』

でもまだ、扉《とびら》のかげになって見《み》えない場所《ばしょ》もある。

そこに誰《だれ》かがかくれているかもしれない。

りりか…!!

黒《くろ》い手《て》が扉《とびら》を開《あ》けるところを、由宇《ゆう》はしっかりと目撃《もくげき》したのだ。

「…………もう少《すこ》しちゃんと調《しら》べて。手《て》が見《み》えたんだよ」

『はぁ!?　まだ言《い》うの!?』

りりかはスマートフォンにむかって『ごめんね、秋津《あきつ》くん。すぐかけなおすね』と言《い》うと、眉《まゆ》毛《げ》をつりあげて画面《がめん》越《ご》しに由宇《ゆう》をにらんだ。

『なんなの由宇《ゆう》！』

「だって…………本当《ほんとう》に手《て》が…………」

『秋津《あきつ》くんとの電話《でんわ》、そんなに邪魔《じゃま》したいの？』

ぎくりとした。

そんなつもりはなかったけれど、そんなふうに見《み》えてしまったのだろうか。

涼太《りょうた》に片思《かたおも》いしていることを、りりかには知《し》られたくない。だって、みじめだから。

「そ、そういうわけじゃ…………」

由宇《ゆう》が悲《かな》しい表情《ひょうじょう》になったことに気《き》づいたのか、りりかは、はっと自分《じぶん》の口《くち》を手《て》でおおった。

ふたりの間《あいだ》に気《き》まずい空気《くうき》が流《なが》れる。

しばらくするとりりかは、ふうっと大《おお》きく息《いき》をついて言《い》った。

『私《わたし》もバカじゃないから知《し》ってたよ』
「え？」
『中一《ちゅう》のころから、秋津《あきつ》くんのこと好《す》きだったんでしょ』
（知《し》ってた………？）
由宇《ゆう》は目《め》を見開《みひら》く。
（え？　ちょっと待《ま》って。っていうことは………）
――秋津《あきつ》くんに告白《こくはく》されちゃった！　どうしよ～！
そうやって相談《そうだん》してきたときも。
――秋津《あきつ》くん、めっちゃやさしいんだよ～。カバンとか持《も》ってくれるの！
そうやって自慢《じまん》してきたときも。
（知《し》ってて……知《し》ってて私《わたし》に言《い》ってきたんだ）
画面《がめん》のなかのりりかは、うんざりした顔《かお》でため息《いき》をついている。
『ほんと、こわがらせるのやめてよね。子《こ》どもじゃないんだから』
りりかは、ふたたびスマートフォンを耳《みみ》につけ、涼太《りょうた》に電話《でんわ》をかけはじめた。
その姿《すがた》を見《み》つめながら、由宇《ゆう》は思《おも》った。

（りりかが選《えら》ばれるのは仕方《しかた》ないって、ずっと自分《じぶん》を納得《なっとく》させてた。嫉妬《しっと》したってみじめになるだけだし）

りりかのようにかわいくない。

りりかのようにオシャレじゃない。

だから仕方《しかた》がないと納得《なっとく》させていたのに。

（クラスの子《こ》から嫌《きら》われても、私《わたし》だけはそばにいてあげた）

みんなが悪口《わるぐち》を言《い》っても『いいところもあるよ』と、かばってあげていた。

音楽室《おんがくしつ》や理科室《りかしつ》に移動《いどう》するときも、一緒《いっしょ》に行《い》ってあげた。

（幼《おさな》なじみなのは私《わたし》だけだから）

でも、もう無理《むり》だ。

（りりかなんて嫌《きら》い……りりかなんて、いなくなっちゃえばいいんだ！）

由宇《ゆう》はこの思《おも》いをぶちまけてやろうと思《おも》い、口《くち》を開《ひら》いた。

「…………っ…………」

怒《いか》りの気配《けはい》に気《き》づいたのか、電話《でんわ》をしていたりりかが、ちらりと由宇《ゆう》を見《み》る。

ところがそのときだった。

りりかの部屋《へや》の照明《しょうめい》が、フッと消《き》えたのだ。
（え？　なに!?）
りりかの部屋《へや》を照《て》らしているのは、いまやパソコンの画面《がめん》の明《あ》かりだけ。
由宇側《ゆうがわ》の画面《がめん》には、パソコンのカメラがとらえている範囲《はんい》だけしか映《うつ》っていなかった。
しかも暗《くら》いため、うっすらとしか見《み》えない。
由宇《ゆう》が慌《あわ》てていると、暗《くら》いりりかの部屋《へや》から、激《はげ》しい音《おと》が聞《き》こえてきた。

ゴッ！

（なんの音《おと》？）

ガッ！
ドサ！
グシャ…………。

音《おと》が聞《き》こえなくなった。

「り、りりか？」

返事《へんじ》もない。

「なにしてんの？　ねぇってば…………」


ゴトッ。


にぶい音《おと》がして、画面《がめん》の前《まえ》に、どさりとなにかが落《お》ちてきた。

血《ち》まみれの頭《あたま》。

この、おだんごの髪《かみ》は――――りりか。

後頭部《こうとうぶ》から血《ち》を流《なが》したりりかは、ちょうど机《つくえ》につっぷしたような姿勢《しせい》をとっている。

「え…………？　りり…………か？　な、なんで…………」

動《うご》かない。

息《いき》もしていないようだ。

（やっぱり誰《だれ》かいたんだ！）

「け…………警察《けいさつ》に…………」

由宇《ゆう》がスマートフォンに手《て》をのばそうとすると、血《ち》まみれのりりかのうしろに、人影《ひとかげ》がぬうっと現《あらわ》れた。

黒《くろ》い服《ふく》を着《き》て、背《せ》が高《たか》く、手足《てあし》が長《なが》い男《おとこ》だ。

その姿《すがた》を見《み》て、由宇《ゆう》は少《すこ》し前《まえ》に自分《じぶん》が言《い》ったことを思《おも》いだした。


――イートマンは、りりかみたいな悪《わる》～い子《こ》どもの肉《にく》を食《た》べに…………。


（そんな、まさか…………）

暗闇《くらやみ》に立《た》ちつくす人影《ひとかげ》を、由宇《ゆう》は息《いき》をのんで見《み》つめた。

だんだん目《め》が慣《な》れてくると、男《おとこ》の手《て》に血《ち》のついたバットが握《にぎ》られているのがわかった。

そして、男《おとこ》の顔《かお》も次第《しだい》に見《み》えてくる。

それは、イートマンではなかった。

「…………山倉《やまくら》くん？」

学《がく》ランを着《き》た山倉一《やまくらはじめ》だったのだ。

山《やま》倉《くら》くん?

一《はじめ》は、焦点《しょうてん》の合《あ》わない瞳《ひとみ》をせわしなく動《うご》かし、ニヤッと笑《わら》った。

「ありがとう…………」

その感謝《かんしゃ》の言葉《ことば》は、由宇《ゆう》にむけられたものにちがいなかった。

そう、二度目《どめ》の告白《こくはく》をすすめたのは、由宇《ゆう》だったのだ。

三週間《しゅうかん》ほど前《まえ》、由宇《ゆう》は学校《がっこう》の中庭《なかにわ》にいた一《はじめ》に声《こえ》をかけたことがあった。

一《はじめ》はベンチに座《すわ》り、両手《りょうて》でスマートフォンをきつく握《にぎ》りしめ、ぶつぶつとなにやらつぶやいていた。

『りりか……僕《ぼく》のりりか………』

由宇《ゆう》がそっと近《ちか》づいていって画面《がめん》をのぞくと、一《はじめ》が見《み》ていたのは、りりかの写真《しゃしん》。

(うわ、まじ!?　ふられたのにまだ好《す》きなんだ)

由宇《ゆう》は、うつむいていた一《はじめ》に話《はな》しかけた。

『山倉《やまくら》くん、ちゃんと言《い》えてたじゃん。〝どれだけあなたのことを好《す》きか、証明《しょうめい》してみせましょう〟って』

『う、うん………』

『がんばったじゃん』

『うん……』

由宇《ゆう》は、ニヤリと笑《わら》った。

『好《す》きなら、もう一回告白《いっかいこくはく》してみなよ』

『…………!?』

おどろいて顔《かお》をあげた一《はじめ》は、ぶ厚《あつ》い眼鏡《めがね》の奥《おく》から由宇《ゆう》を見《み》つめる。

(恋愛《れんあい》にうとそうな山倉《やまくら》くんにしつこく告白《こくはく》されたら、りりかはどんな反応《はんのう》をするかなぁ……ははは、おもしろそう！)

一《はじめ》はぼそぼそと言《い》った。

『でも……りりかさんは、秋津《あきつ》くんと……』

『私《わたし》、りりかの幼《おさな》なじみだから知《し》ってるんだ。あの子《こ》、本当《ほんとう》は山倉《やまくら》くんみたいな男子《だんし》が好《す》きなの。真面目《まじめ》で一途《いちず》そうな人《ひと》。秋津《あきつ》くんのことはすぐにふっちゃうと思《おも》うよ』

『えっ……え……』

『だからもう一回告白《いっかいこくはく》してみなよ。一回《いっかい》ことわられても、あんなのふられたうちに入《はい》んないって』

『あ………で、でも………』
そのときちょうど、渡《わた》りろうかを一緒《いっしょ》に歩《ある》く、りりかと涼太《りょうた》の姿《すがた》が見《み》えた。
学校《がっこう》なのに手《て》をつないでいる。
ふたりは幸《しあわ》せそうに笑《わら》いあっていた。
由宇《ゆう》の心《こころ》に、じわじわと憎《にく》しみがわきあがってきた。
(なんで、りりかばっかり)
由宇《ゆう》は、一《はじめ》にやさしく笑《わら》いかけて言《い》った。
『大丈夫《だいじょうぶ》だよ。もう一回《いっかい》がんばってみたら？　あの子《こ》、あんがい押《お》しに弱《よわ》いよ』
由宇《ゆう》がけしかけたせいで、一《はじめ》は思《おも》いつめてしまったのだ。
由宇《ゆう》は震《ふる》える手《て》でマウスを動《うご》かし、パソコンをシャットダウンした。
「あ、あんなの、冗談《じょうだん》………りりかが困《こま》ればいいなって………」
ただそれだけだったのに。
誰《だれ》もりりかを殺《ころ》してほしいなんてたのんでいない。
死《し》ねばいいなんて望《のぞ》んでいない。

電源《でんげん》が落《お》ちたパソコンの前《まえ》で、由宇《ゆう》は叫《さけ》んだ。

「私《わたし》はなにも悪《わる》くないっ…………!!」

するとそのときだった。

ミシッ、と背後《はいご》で音《おと》がした。

湿《しめ》った土《つち》のにおいと、大《おお》きな人影《ひとかげ》の気配《けはい》がただよってくる。

「…………誰《だれ》?」

由宇《ゆう》は振《ふ》りかえろうとした。

しかし、その間《ま》も与《あた》えず長《なが》い腕《うで》がするりとのびてきて、由宇《ゆう》の首《くび》を握《にぎ》りしめる。

耳《みみ》もとで、不気味《ぶきみ》な声《こえ》がささやいた。

「トリック・オア・イート」

ザクッ。

体《からだ》から血《ち》しぶきがあがる。

男《おとこ》の口《くち》は耳《みみ》まで裂《さ》け、口《くち》の中《なか》にはたくさんの歯《は》がずらりとならんでいる。

由宇《ゆう》が最後《さいご》に見《み》たものは、その歯《は》で由宇《ゆう》をかみちぎる、愉快《ゆかい》そうな男《おとこ》の顔《かお》だった。

エピローグ

百四十五時間目《ひゃくよんじゅうごじかんめ》の授業《じゅぎょう》はこれでおしまいです。

ハロウィンの日《ひ》に現《あらわ》れ、悪《わる》い子《こ》を食《た》べてしまうというイートマン。

背《せ》が高《たか》く、手足《てあし》が長《なが》く、黒《くろ》いスーツを着《き》て帽子《ぼうし》をかぶっているそうです。

狙《ねら》われたら最後《さいご》、肉《にく》にありつくまでどこまでも追《お》いかけてきます。

今回《こんかい》のお話《はなし》でも、一番悪《いちばんわる》い子《こ》がつかまってしまいましたね。

少女《しょうじょ》は「自分《じぶん》は悪《わる》くない」と言《い》っていましたけれど、いまごろはイートマンのお腹《なか》のなかかもしれません。

仲良《なかよ》しのふりをしていたのに、ささいなきっかけで、自分《じぶん》の嫉妬心《しっとしん》に気《き》づいた少女《しょうじょ》。どす黒《ぐろ》い気持《きも》ちがあふれだしてしまったようです。

みなさんは大丈夫《だいじょうぶ》ですか？

心《こころ》あたりのある方《かた》は、十月三十一日《じゅうがつさんじゅういちにち》にご注意《ちゅうい》ください。

背後《はいご》で湿《しめ》った土《つち》のにおいがしたら、すぐに逃《に》げて。
それはもしかしたら、イートマンかもしれません。
もっとも、彼《かれ》から逃《に》げられた人《ひと》はいないのですけどね…………ふふふ。

絶叫学級《ぜっきょうがっきゅう》

146時《じ》間《かん》目《め》

知《とも》朱《み》の本《ほん》能《のう》

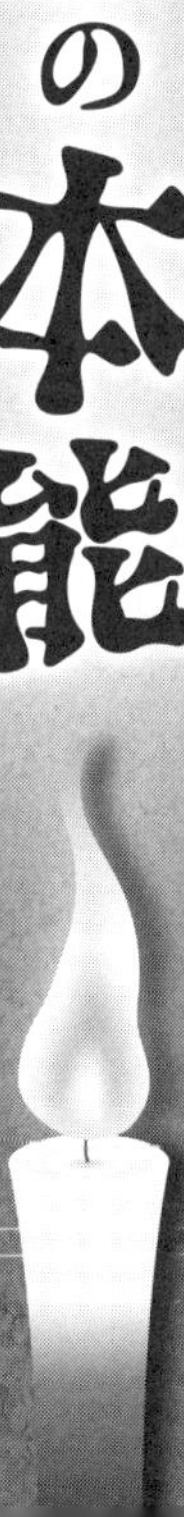

プロローグ

居眠《いねむ》りしている人《ひと》はいませんか。
百四十六時間目《ひゃくよんじゅうろくじかんめ》の授業《じゅぎょう》がはじまりますよ。
みなさんは、この言葉《ことば》を知《し》っているでしょうか？
「本能《ほんのう》」。
睡眠《すいみん》がたりないと眠《ねむ》くなってしまうのも、本能《ほんのう》のうちのひとつ。
栄養《えいよう》をとるためになにかを食《た》べたくなるのも本能《ほんのう》です。
本能《ほんのう》とは、生《い》き物《もの》にもともとそなわっているとされる行動能力《こうどうのうりょく》のこと。
生存本能《せいぞんほんのう》、闘争本能《とうそうほんのう》、生殖本能《せいしょくほんのう》…………。
いろいろありますね。
これらは誰《だれ》のなかにもあるものと言《い》われています。
もちろん人間《にんげん》だけではありません。

ペットの猫《ねこ》や犬《いぬ》、野生《やせい》の鳥《とり》や爬虫類《はちゅうるい》、虫《むし》にも本能《ほんのう》があります。
今回《こんかい》の授業《じゅぎょう》は、そんな生《い》き物《もの》の「本能《ほんのう》」にまつわる話《はなし》。
人間《にんげん》には想像《そうぞう》もつかない、生《い》き物《もの》のたくらみがひそんでいるかもしれませんよ。

「本能《ほんのう》っていうのは、誰《だれ》に教《おそ》わらずとも、プログラムとして最初《さいしょ》からそなわってるものなんだ」

集英高等学校《しゅうえいこうとうがっこう》一年《ねん》二組《くみ》の教室《きょうしつ》に、先生《せんせい》の声《こえ》がひびいている。

「たとえばサケは、生《う》まれ育《そだ》った川《かわ》に、繁殖《はんしょく》のために帰《かえ》ってくる」

窓際《まどぎわ》の席《せき》に座《すわ》っている岩金知朱《いわかねともみ》は、授業《じゅぎょう》も聞《き》かず、うっとりと窓《まど》の外《そと》を見《み》おろしていた。

初夏《しょか》の風《かぜ》が、あごのあたりまでのくせ毛《げ》をそよそよとなでていく。

セーラー服《ふく》は、夏服《なつふく》にかわったばかりだった。

「クモなんかは、糸《いと》でキレイな巣《す》を作《つく》ったりする。そこにかかった獲物《えもの》を食《た》べるわけだ」

二階《かい》の教室《きょうしつ》にいる知朱《ともみ》は、中庭《なかにわ》を通《とお》りすぎていく四人《よにん》を見《み》つめた。

そのなかのある人《ひと》を見《み》ていると、自然《しぜん》と瞳《ひとみ》がうるんでしまう。

（タケル先輩《せんぱい》………）

知朱《ともみ》が授業《じゅぎょう》そっちのけで見《み》つめているのは、三年生《ねんせい》の向井《むかい》タケル。

タケル先輩《せんぱい》…
今日《きょう》も格好《かっこう》いいな
キレイな瞳《ひとみ》
やわらかそうな髪《かみ》
男《おとこ》らしい肩幅《かたはば》
素敵《すてき》…

仲間《なかま》とつれだって、おしゃべりしながら歩《ある》くタケルは、他《ほか》の誰《だれ》よりも輝《かがや》いて見《み》えた。

(今日《きょう》も格好《かっこう》いいな)

切《き》れ長《なが》の涼《すず》しげな目《め》。

やわらかそうな黒髪《くろかみ》。

広《ひろ》い肩幅《かたはば》。

(素敵《すてき》……………)

タケルは剣道部《けんどうぶ》のエースだった。

背《せ》が高《たか》く、長《なが》い腕《うで》で打《う》ちこむ一本《いっぽん》は、ほれぼれするくらいに格好《かっこう》いい。

成績《せいせき》もよくて真面目《まじめ》なわりに、一緒《いっしょ》にいる友《とも》だちは、学年《がくねん》でも派手《はで》で目立《めだ》つ人《ひと》ばかり。

(そういうところもいいんだよね…………)

心《こころ》のなかでそうつぶやき、知朱《ともみ》は頬《ほお》を赤《あか》くした。

知朱《ともみ》がタケルと出会《であ》ったのは、高校《こうこう》に入学《にゅうがく》してすぐのことだった。

ちょうど部活《ぶかつ》の仮入部《かりにゅうぶ》の時期《じき》。

一年生《ねんせい》はみんな放課後《ほうかご》になると、自分《じぶん》が入《はい》りたい部活《ぶかつ》をさがして、あちこちに足《あし》を運《はこ》んでいた。

（部活《ぶかつ》かあ………）

特《とく》にやりたいこともなく、まだ仲《なか》のいい友《とも》だちもいなかった知朱《ともみ》は、どの部活《ぶかつ》も選《えら》べないまま、校庭《こうてい》の木陰《こかげ》を歩《ある》いていた。

テニスコートのほうから、明《あか》るい声《こえ》が聞《き》こえてくる。

『部活見学《ぶかつけんがく》の子《こ》はこっちねー』

『新入生《しんにゅうせい》、大歓迎《だいかんげい》だよー』

『初心者《しょしんしゃ》でも大丈夫《だいじょうぶ》でーす』

知朱《ともみ》は運動《うんどう》が得意《とくい》ではない。テニス部《ぶ》のほうには少《すこ》しも顔《かお》をむけず、うつむいて歩《ある》くばかりだ。

すると、うしろから女子《じょし》たちの声《こえ》がした。

『どこにするー？』

『テニスもいいよね。男子《だんし》テニス部《ぶ》、イケメン多《おお》そうだし』

ちらりと振《ふ》りかえると、知朱《ともみ》と同《おな》じクラスの女子《じょし》ふたりが、部活紹介《ぶかつしょうかい》のチラシをひろげながら歩《ある》いている。

『剣道部《けんどうぶ》は？』
『えー。剣道《けんどう》かぁ』
『って思《おも》うじゃん？　でも、かっこいい先輩《せんぱい》がいるらしいよ』
『まじ？　行《い》ってみたい！』
そんな会話《かいわ》を聞《き》きながら、知朱《ともみ》はぼんやり歩《ある》いていた。
と、そのときだった。うしろにいたひとりの女子《じょし》が、うわっ、と叫《さけ》ぶ。
『ちょ、クモ！』
その声《こえ》に、知朱《ともみ》がおどろいて振《ふ》りかえると、頭《あたま》の上《うえ》に大《おお》きなクモが落《お》ちてきた。
クモからのびるキラキラした細《ほそ》い糸《いと》が、木《き》の枝《えだ》までつながっている。
（ぎゃ…………）
思《おも》わず身《み》をかがめた瞬間《しゅんかん》、誰《だれ》かの腕《うで》がのびてきて、両手《りょうて》でクモをキャッチした。
『大丈夫《だいじょうぶ》？　一年生《ねんせい》』
知朱《ともみ》が顔《かお》をあげると、剣道着《けんどうぎ》を着《き》た男子生徒《だんしせいと》が、まっすぐな瞳《ひとみ》でのぞきこんでいる。
涙目《なみだめ》のままうなずく知朱《ともみ》に、彼《かれ》は笑《わら》いかけた。
『毒《どく》があったら危《あぶ》ないよ』

そう言《い》うと、彼《かれ》はふんわりと閉《と》じていた手《て》を、ゆっくり開《ひら》いた。

クモは生《い》きていた。つぶさないように注意《ちゅうい》しながら受《う》けとめたのだ。

男子生徒《だんしせいと》は、クモを茂《しげ》みの葉《は》の上《うえ》に逃《に》がしてやり、何事《なにごと》もなかったかのように歩《ある》き去《さ》る。

(本能的《ほんのうてき》に、この人《ひと》だって思《おも》った…………)

たよりがいのありそうな背中《せなか》。

小《ちい》さな生《い》き物《もの》にもやさしい心《こころ》。

知朱《ともみ》にとって、理想《りそう》の人《ひと》。

それが、向井《むかい》タケルだった。


出会《であ》った日《ひ》のことを思《おも》いだしながら、知朱《ともみ》は、二階《かい》の教室《きょうしつ》からタケルの姿《すがた》を見《み》おろしていた。

「オスグモとメスグモは、交尾《こうび》するのも命《いのち》がけなんだぞ」

先生《せんせい》のクモの話《はなし》はまだつづいているが、やっぱり知朱《ともみ》は聞《き》いていない。

「なぜなら、交尾後《こうびご》にメスは…………」

中庭《なかにわ》にいるタケルと仲間《なかま》たちは、一年生《ねんせい》の知朱《ともみ》の目《め》には、とても大人《おとな》っぽく見《み》える。

そのなかには女子《じょし》もいて、親《した》しげにタケルに話《はな》しかけていた。

「タケル、耳貸《みみか》して」

そう言《い》ったショートカットでピアスをした女子生徒《じょしせいと》は、タケルの彼女《かのじょ》、森田蝶子《もりたちょうこ》だ。

活発《かっぱつ》で意志《いし》の強《つよ》そうな人《ひと》だった。

「え、耳《みみ》？　なに？」

楽《たの》しそうに笑《わら》うタケルに、蝶子《ちょうこ》は耳打《みみう》ちする。

「あのね。昨日《きのう》の…………」

「うん、うん。あははは！」

その様子《ようす》を見《み》て、知朱《ともみ》の心《こころ》は凍《こお》りついた。

ひざの上《うえ》においていたこぶしを、ぎゅっと強《つよ》く握《にぎ》る。

（先輩《せんぱい》には彼女《かのじょ》がいる。大人《おとな》な彼女《かのじょ》が…………）

知朱《ともみ》に入《はい》りこむ隙《すき》はなさそうだった。

こうやって、遠巻《とおま》きに見《み》ていることしかできないのだろうか。

ショックを受《う》けたりぼんやりしたりしているうちに、先生《せんせい》のクモの話《はなし》は終《お》わり、授業《じゅぎょう》もいつの間《ま》にか終《お》わっていた。

休《やす》み時間《じかん》になり、知朱《ともみ》は席《せき》を立《た》った。

(先輩《せんぱい》の彼女《かのじょ》、スタイルもよかったな………)

知朱《ともみ》は、自分《じぶん》の胸《むね》のあたりを両手《りょうて》でさわってみる。ぺたんこだ。

(私《わたし》、年齢《ねんれい》のわりには子《こ》どもっぽいし)

制服《せいふく》の着《き》こなしも、派手《はで》な子《こ》たちはみんなスカートを短《みじか》くしているけれど、知朱《ともみ》はひざ丈《たけ》のまま。

全体的《ぜんたいてき》に、なんとなくもっさりした雰囲気《ふんいき》だ。

ふと耳《みみ》を澄《す》ませると、教室《きょうしつ》のすみから女子《じょし》たちの話《はな》し声《ごえ》が聞《き》こえてきた。

「男《だん》バスとのカラオケ、女子《じょし》あとひとりたりない」

おしゃべりしているのは、クラスでも垢《あか》ぬけている子《こ》たちだった。

知朱《ともみ》は彼女《かのじょ》たちと、一度《いちど》も話《はな》したことがなかった。グループがちがう。

「まじかー。誰《だれ》か誘《さそ》えそうな人《ひと》いる?」

「うーん。知朱《ともみ》ちゃん誘《さそ》う?」

「やめときな。あの子《こ》ウブそうじゃん」

「だよねー」

知朱《ともみ》は聞《き》こえなかったふりをして、教室《きょうしつ》をでた。

ろうかを歩《ある》いていると、さっきのクラスメイトの言葉《ことば》が頭《あたま》をよぎる。

――あの子《こ》ウブそうじゃん。

（そっか。私《わたし》、あんなふうに思《おも》われてるんだ………）

思《おも》わず、自分《じぶん》の胸《むね》を思《おも》いだして立《た》ちどまってしまう。

急《きゅう》に立《た》ちどまったものだから、うしろから歩《ある》いてきた人《ひと》がいきおいよく追突《ついとつ》してきた。

「あ、ごめん」

その声《こえ》におどろいて見《み》あげると、ぶつかってきたのは、なんと向井《むかい》タケル。

（タケル先輩《せんぱい》!?）

四階《かい》に教室《きょうしつ》がある三年生《ねんせい》は、めったに二階《かい》には来《こ》ない。

（一年生《ねんせい》の階《かい》にいるの、めずらしい………）

知朱《ともみ》はカチンコチンに緊張《きんちょう》して、返事《へんじ》もできずに口《くち》をパクパク動《うご》かした。

「ごめんね。大丈夫《だいじょうぶ》だった？」

「………あ」

タケルは、あいさつがわりにニコッと笑《わら》うと、そのまま背中《せなか》をむけて歩《ある》きだした。

（………行《い》っちゃう）

このままだと、なにも伝《つた》えないまま終《お》わってしまう。

そう思《おも》った知朱《ともみ》は、勇気《ゆうき》を振《ふ》りしぼって、大《おお》きな声《こえ》をだした。

「っ、あ、あのっ、先輩《せんぱい》!!」

声《こえ》に気《き》づいたタケルが立《た》ちどまった。

「連絡先教《れんらくさきおし》えてくれませんかっ!!」

振《ふ》りかえるタケル。

知朱《ともみ》の顔《かお》は真《ま》っ赤《か》になった。心臓《しんぞう》がドキドキして飛《と》びだしそうだ。

ふたりは、三メートルほどの距離《きょり》をおいて、顔《かお》を見合《みあ》わせた。

ろうかにいた他《ほか》の生徒《せいと》たちが、こそこそ話《はな》しだす。

「え、あの子《こ》が言《い》ったの？」

「二組《くみ》の岩金《いわかね》さんじゃん」

「まじ？」

「勇気《ゆうき》ある〜」

話題《わだい》にされてしまった知朱《ともみ》は、ますます顔《かお》が熱《あつ》くなった。

すると、タケルが人《ひと》なつっこい笑《え》みを浮《う》かべる。

「ははっ。いいよ、そのくらい」

そう言《い》って、ポケットからひょいとスマートフォンをだし、知朱《ともみ》に近《ちか》づいてきた。

（うそぉ………）

こんなにあっさりと連絡先《れんらくさき》を交換《こうかん》できるなんて、予想外《よそうがい》の展開《てんかい》だった。


それからというもの、校内《こうない》で会《あ》うと必《かなら》ずタケルはあいさつしてくれるようになった。

「あ、おはよう知朱《ともみ》ちゃん」

「おはようございますっ！」

「元気《げんき》？」

「はいっ」

本当《ほんとう》に自然《しぜん》に声《こえ》をかけてくるので、知朱《ともみ》は逆《ぎゃく》に焦《あせ》ってしまう。

いつもおたおたと慌《あわ》てて返事《へんじ》をし、それ以上《いじょう》、会話《かいわ》がすすむことがなかった。

あいさつができるチャンスは、朝《あさ》と下校時《げこうじ》。

知朱《ともみ》はそれとなく待《ま》ちぶせをして、できるだけ自分《じぶん》から声《こえ》をかけるようにした。

「さっ、さようならっ」

「ばいば〜い」

タケルは気《き》さくに手《て》を振《ふ》ってくれたりする。

そのたびに、知朱《ともみ》は幸《しあわ》せを感《かん》じるのだった。

いつもタケルと一緒《いっしょ》にいる仲間《なかま》たちが、こんなふうに冷《ひ》やかしているのが聞《き》こえることもあった。

「なんか、健気《けなげ》だよねぇ」

そう言《い》った派手《はで》な柄《がら》のT《ティー》シャツを着《き》た先輩《せんぱい》は、大介《だいすけ》という名前《なまえ》。

「初々《ういうい》しいよねぇ」

シルバーのネックレスをしたほうは、勇司《ゆうじ》という先輩《せんぱい》だった。

ふたりはただ冷《ひ》やかしているだけだったが、タケルの彼女《かのじょ》、蝶子《ちょうこ》だけは、おもしろくなさそうだった。

知朱《ともみ》の姿《すがた》を見《み》るたびに、憎《にく》らしげに知朱《ともみ》をにらみつける。

でも、舞《ま》いあがっている知朱《ともみ》は、ぜんぜん気《き》にしなかった。

(夢《ゆめ》みたい……………)

毎日《まいにち》、毎日《まいにち》、熱《ねつ》に浮《う》かされたようにぽうっとしていたのだった。

ある日《ひ》の下校時《げこうじ》。

いつものように夢見心地《ゆめみごこち》で校舎《こうしゃ》の外《そと》を歩《ある》いていると、「タケル」と名前《なまえ》を呼《よ》ぶ声《こえ》が聞《き》こえてきた。自転車置《じてんしゃお》き場《ば》のほうからだ。

(蝶子先輩《ちょうこせんぱい》の声《こえ》だ)

知朱《ともみ》が顔《かお》をむけると、タケルと蝶子《ちょうこ》が抱《だ》きあっている。

(えっ……………キ、キス…………)

ふたりは、人気《ひとけ》のない場所《ばしょ》でキスしているのだった。

知朱《ともみ》にとっては、ひどくショックな光景《こうけい》だ。顔《かお》を背《そむ》け、建物《たてもの》のかげにかくれた。

しかし、ふたりの話《はな》し声《ごえ》が、聞《き》きたくもないのに耳《みみ》に入《はい》ってくる。

「蝶子《ちょうこ》、どうしたの急《きゅう》に?」

「別《べつ》に。ふふっ」

「今日《きょう》は甘《あま》えんぼだね」

「そう?」

タケルの口調《くちょう》は、やさしくて甘《あま》やかだった。

(私《わたし》には、あんなふうに話《はな》しかけてくれない………)

当《あ》たり前《まえ》だ。タケルの恋人《こいびと》は知朱《ともみ》ではない。蝶子《ちょうこ》なのだから。

立場《たちば》のちがいを思《おも》い知《し》ってしまった知朱《ともみ》は、うつむいてとぼとぼと歩《ある》きだした。

(だめだ、いまのままじゃ)

大人《おとな》っぽいタケルと蝶子《ちょうこ》は、お似合《にあ》いのカップル。

年齢《ねんれい》より幼《おさな》く見《み》えて、もっさりした雰囲気《ふんいき》の知朱《ともみ》が、オシャレで明《あか》るい蝶子《ちょうこ》にかなうはずがない――。

そう思《おも》うと、知朱《ともみ》の心《こころ》は、雨雲《あまぐも》のように重《おも》くて暗《くら》くなるのだった。

(私《わたし》も大人《おとな》になりたい)

大人《おとな》になって、タケルにふさわしい女性《じょせい》になりたかった。

その夜《よる》、知朱《ともみ》は鏡《かがみ》の前《まえ》に立《た》ち、決意《けつい》をこめてつぶやいた。

「私《わたし》も、大人《おとな》になりたい」

そして、体《からだ》にまとわりついている黒《くろ》くてうすいなにかを、ずるずると脱《ぬ》ぎすてる。

脱《ぬ》ぎすてられたものは、パサリと足《あし》もとに落《お》ちた。

「大人《おとな》になりたい………」

翌日《よくじつ》、知朱《ともみ》は晴《は》れ晴《ば》れとした表情《ひょうじょう》で登校《とうこう》した。

あんなに落《お》ちこんでいた気分《きぶん》がスッキリして、生《う》まれ変《か》わったみたいだ。

タケルたちを見《み》つけると、タタッとかけよって、元気《げんき》にあいさつする。

「おはようございます」

振《ふ》りかえったタケルたちは、おどろいて目《め》を丸《まる》くした。

「え、知朱《ともみ》ちゃん………？」

タケルが、口《くち》をぽかんと開《あ》ける。

「うっそ」

と、柄《がら》T《ティー》シャツの大介《だいすけ》とシルバーネックレスをした勇司《ゆうじ》がパチパチとまばたきした。

タケルは、動揺《どうよう》したのか口《くち》を手《て》でおおい、照《て》れたように言《い》った。

「え、どうしたの？　なんかすごい変《か》わったね」

そのくらい、知朱《ともみ》の雰囲気《ふんいき》は変《か》わっていたのだった。

え
知朱《ともみ》ちゃん…？
え…
どうしたの？
何《なん》か《か》すごい変《か》わったね
ふり向《む》いてもらうには先輩《せんぱい》の好《この》みの女性《じょせい》になるしかない

表情《ひょうじょう》は明《あか》るくなり、肌艶《はだつや》がだんぜんよくなった。
顔《かお》つきさえ、少《すこ》し大人《おとな》っぽくなったように見《み》える。
無造作《むぞうさ》だったくせ毛《げ》は、ゆるくセットしたようなボブに。
制服《せいふく》のスカートも短《みじか》くした。
胸《むね》もぐんと大《おお》きくなった。背筋《せすじ》がきりりとのびたせいかもしれない。

「…………？」
蝶子《ちょうこ》だけは、化《ば》け物《もの》を見《み》るような表情《ひょうじょう》を浮《う》かべ、絶句《ぜっく》していた。
(振《ふ》りむいてもらうには、先輩《せんぱい》の好《この》みの女性《じょせい》になるしかない)
タケルが大人《おとな》っぽい蝶子《ちょうこ》のことを好《す》きなら、知朱《ともみ》も大人《おとな》っぽくなればいいのだ。
(私《わたし》の本能《ほんのう》が言《い》ってる)
知朱《ともみ》は顔《かお》を赤《あか》くそめたタケルを見《み》あげ、にっこりと微笑《ほほえ》んだ。
(絶対手《ぜったいて》に入《い》れろって)
そう、絶対《ぜったい》に手《て》に入《い》れるのだ。
向井《むかい》タケルを。

その日《ひ》から、知朱《ともみ》は積極的《せっきょくてき》にタケルとの距離《きょり》を縮《ちぢ》めていった。

「タケル先輩《せんぱい》、お昼一緒《ひるいっしょ》に食《た》べませんか？」

メッセージを送《おく》ると、「いいよ」と返事《へんじ》があった。

昼休《ひるやす》みになり、校庭《こうてい》の木陰《こかげ》のベンチにならんで座《すわ》る。

知朱《ともみ》がお弁当《べんとう》をひろげると、タケルはバッグからコンビニのサンドウィッチやおにぎりをとりだした。

「先輩《せんぱい》、お弁当《べんとう》じゃないんですか？」

「いつもはお弁当《べんとう》だよ。今日《きょう》は、母親《ははおや》が寝坊《ねぼう》しちゃったんだ」

タケルがいたずらっぽく笑《わら》う。

打《う》ち解《と》けて話《はな》すタケルを見《み》ていると、知朱《ともみ》はうれしくて胸《むね》がいっぱいになった。

「今度《こんど》、先輩《せんぱい》の分《ぶん》も作《つく》ってきますよ」

「え？　ほんとに？」

「もちろんです！　嫌《きら》いなものありますか？」

「そうだなぁ。ピーマン」

「えっ？　意外《いがい》です！」

知朱《ともみ》が笑《わら》いだすと、つられてタケルも笑《わら》った。

(先輩《せんぱい》の好《この》みの女性《じょせい》に…………)

一歩《いっぽ》でも近《ちか》づくために、知朱《ともみ》は全力《ぜんりょく》で努力《どりょく》した。


部活《ぶかつ》のときには、差《さ》しいれのスポーツドリンクとタオルを体育館《たいいくかん》に持《も》っていった。

「これ、使《つか》ってください！」

知朱《ともみ》は、したたかに、確実《かくじつ》に、タケルを手《て》に入《い》れようとしていた。

「ありがとう。助《たす》かるよ」

「邪魔《じゃま》にならないところにおいておきますね。それじゃあ、失礼《しつれい》します」

知朱《ともみ》が帰《かえ》ろうとすると、タケルはあわててひきとめた。

「ねえ、知朱《ともみ》ちゃん！」

「はい」

「練習《れんしゅう》、見《み》ていけば？」

「…………いいんですか？」

知朱《ともみ》の思《おも》ったとおりだった。

少《すこ》し押《お》して、少《すこ》しひく。そうすれば、追《お》いかけてくる。

知朱《ともみ》のことしか見《み》えなくなるくらいに、夢中《むちゅう》にさせなければならない。

（これでいいの。だって私《わたし》は本当《ほんとう》に…………）

知朱《ともみ》は本気《ほんき》だった。

こんなことをつづけていて、タケルの仲間《なかま》たちが心配《しんぱい》しないはずがない。

大介《だいすけ》と勇司《ゆうじ》は、校庭《こうてい》の木陰《こかげ》でこそこそと話《はな》していた。知朱《ともみ》とタケルが初《はじ》めて出会《であ》った場所《ばしょ》だ。

「タケルのやつ、いいのかな。彼女《かのじょ》いるのにさ」

大介《だいすけ》がため息《いき》をつく。

「ダメだろ。あれじゃ蝶子《ちょうこ》がかわいそうだ」

ふたりとも、ずっと蝶子《ちょうこ》と友《とも》だちだった。もちろん蝶子《ちょうこ》の味方《みかた》をする。

「あいつ、あんな浮気《うわき》なやつだったかなぁ…………」

「知朱《ともみ》ちゃんが現《あらわ》れて、あいつ変《か》わったよ」

「知朱《ともみ》ちゃん、やばいよな。あんまりタケルに近《ちか》づかせないように――――」

そのときだった。

ガサガサ、ガサガサ。

なにかが動《うご》く気配《けはい》がして、ふたりは振《ふ》りかえる。

「なんだろ？」

「茂《しげ》みから音《おと》がしたような………」

「茂《しげ》み？」

と、あたりを見《み》まわしていた大介《だいすけ》が上《うえ》を見《み》あげて叫《さけ》ぶ。

「うわ！」

「な!?」

勇司《ゆうじ》はビクッと驚《おどろ》いて、大介《だいすけ》と同《おな》じ場所《ばしょ》を見《み》あげた。

木々《きぎ》の枝《えだ》の間《あいだ》に、大《おお》きなクモの巣《す》が張《は》られていた。

「な、なんだよ………クモの巣《す》かぁ」

勇司《ゆうじ》はほっとして、肩《かた》の力《ちから》を抜《ぬ》く。

光《ひかり》を受《う》けてキラキラと光《ひか》る網《あみ》には、てのひらほどの大《おお》きなクモがじっとたたずみ、獲物《えもの》が来《く》るのを待《ま》っている。

「おどかすなよ、大介《だいすけ》………」

「悪《わる》い、悪《わる》い。俺《おれ》、クモ苦手《にがて》なんだよ。ははは」

ふたりは顔《かお》を見合《みあ》わせて苦笑《にがわら》いした。


それから二日《ふつか》たったころだ。

タケルはすっかり知朱《ともみ》に夢中《むちゅう》になり、休《やす》み時間《じかん》になると、よく二階《かい》におしゃべりしに来《く》るようになっていた。

「この間《あいだ》のお弁当《べんとう》、ありがとう。おいしかったよ」

「本当《ほんとう》ですか？　うれしい！」

「うちの母親《ははおや》のお弁当《べんとう》よりおいしいかもな」

「あはは。もー、先輩《せんぱい》ってば」

通《とお》りすがりの生徒《せいと》たちが、けげんそうな顔《かお》をしている。

なかには、あからさまにふたりのことをうわさしている生徒《せいと》たちもいた。

「二組《くみ》のあの子《こ》、雰囲気変《ふんいきか》わったよね」

「蝶子先輩《ちょうこせんぱい》からタケル先輩《せんぱい》を奪《うば》ったらしいよ」

「略奪愛《りゃくだつあい》ってやつ？」

「ていうか、もうつきあってるの？」

「さあ、どうなんだろ…………」

女子《じょし》たちの話《はな》し声《ごえ》は、知朱《ともみ》にも聞《き》こえてきた。

（でも、いいの…………）

知朱《ともみ》には関係《かんけい》なかった。言《い》いたい人《ひと》には言《い》わせておけばいい。

タケルにはうわさ話《ばなし》が耳《みみ》に入《はい》ってこないのか、笑顔《えがお》で知朱《ともみ》の相手《あいて》をしてくれている。

「知朱《ともみ》ちゃん、週末《しゅうまつ》のことなんだけどさ――」

タケルがそう言《い》いかけたときだった。

「タケル！」

ふたりがはっと振《ふ》りむくと、いつの間《ま》に来《き》たのだろう、蝶子《ちょうこ》がにらんでいる。

「タケル。さがしたんだけど」

「あ、えっと、ごめん」

「大介《だいすけ》たち、今日《きょう》も休《やす》み？」

とげとげしい口調《くちょう》で蝶子《ちょうこ》が聞《き》くと、タケルは気《き》まずそうにこたえた。

「あ…………ああ」

柄T《ガラティー》シャツの大介《だいすけ》と、シルバーネックレスの勇司《ゆうじ》は、昨日《きのう》も今日《きょう》も学校《がっこう》に来《き》ていないようだ。

「連絡《れんらく》しても返事《へんじ》がこないし、タケル、なにか聞《き》いてないの？」

「あ、うん。なにも」

すると、蝶子《ちょうこ》はさらに目《め》つきをするどくし、つかつかと知朱《ともみ》に近《ちか》づいてきた。

「ねえ、一年《ねん》。タケルになれなれしくすんのやめてくれる？」

「おい、蝶子《ちょうこ》…………」

タケルがなだめようとするが、蝶子《ちょうこ》はいまにも知朱《ともみ》につかみかかりそうな剣幕《けんまく》だった。

（こわい…………）

知朱《ともみ》はサッと全身《ぜんしん》の血《ち》の気《け》がひくのがわかった。

（でも私《わたし》、負《ま》けたくない…………負《ま》けない！）

知朱《ともみ》はかたくこぶしを握《にぎ》り、蝶子《ちょうこ》を力強《ちからづよ》く見《み》つめて言《い》った。

「私《わたし》、タケル先輩《せんぱい》の彼女《かのじょ》になりたいんです」

「え？」

蝶子《ちょうこ》が凍《こお》りつき、そのとなりにいたタケルも戸惑《とまど》った表情《ひょうじょう》を浮《う》かべている。

どう思《おも》われようがかまわない。知朱《ともみ》はふたたび気持《きも》ちをぶつけた。

「彼女《かのじょ》になりたいんです」

「は、はぁ!?」

おどろいてかたまっていた蝶子《ちょうこ》が、大声《おおごえ》をあげて知朱《ともみ》の胸《むな》ぐらをつかみあげた。

「なに言《い》ってんの、こいつ………」

ところがそのとき、蝶子《ちょうこ》は何《なに》かに気《き》づいたように、はたと手《て》をとめる。

なぐられるかと思《おも》っていた知朱《ともみ》は、拍子《ひょうし》抜《ぬ》けした。

「おい、やめろって。蝶子《ちょうこ》」

タケルがうしろから蝶子《ちょうこ》の腕《うで》をつかむと、蝶子《ちょうこ》は振《ふ》りかえらずに、タケルに問《と》いかけた。

「あんたはどうなの？　この子《こ》のこと好《す》きなの!?」

「……………………」

タケルは無言《むごん》のまま、なかなか返事《へんじ》をしない。

「なんではっきり否定《ひてい》しないの!?」

蝶子《ちょうこ》に問《と》いただされても、タケルは苦《くる》しそうな表情《ひょうじょう》を浮《う》かべるばかりだ。

蝶子《ちょうこ》は目《め》に涙《なみだ》をためて、タケルをにらみつけた。

「…………サイテー！　浮気《うわき》ヤロー！」

そう言《い》うと、知朱《ともみ》を突《つ》きはなして歩《ある》き去《さ》る。

「絶対許《ぜったいゆる》さない!!」

やがて蝶子《ちょうこ》が見《み》えなくなると、知朱《ともみ》はか細《ぼそ》い声《こえ》で言《い》った。

「先輩《せんぱい》……」

しかしタケルは、知朱《ともみ》に背中《せなか》をむけたまま、彼女《かのじょ》を見《み》ようとしなかった。

「近《ちか》づかないで。俺《おれ》、最低《さいてい》だから……」

蝶子《ちょうこ》がさっき怒《おこ》って叫《さけ》んだとおり、これは浮気《うわき》だ。

タケルは蝶子《ちょうこ》という彼女《かのじょ》がいながら、他《ほか》の女《おんな》の子《こ》に心《こころ》を奪《うば》われてしまったのだ。

知朱《ともみ》に顔《かお》むけできないのは、罪悪感《ざいあくかん》のせいだった。

知朱《ともみ》は、そんなタケルでもよかった。いや、そんなふうに自分《じぶん》を選《えら》んでくれたタケルがよかった。

大《おお》きな目《め》に涙《なみだ》を浮《う》かべ、首《くび》を横《よこ》に振《ふ》る。

「先輩《せんぱい》は最低《さいてい》じゃないです」

タケルに近《ちか》づき、背中《せなか》から抱《だ》きつく。

「うれしいです」

知朱《ともみ》は、タケルの広《ひろ》い背中《せなか》に頬《ほお》ずりしながら思《おも》った。

(もっと先輩《せんぱい》と深《ふか》い関係《かんけい》になりたい)

もっと、もっと。

(私《わたし》の本能《ほんのう》が、そう言《い》ってる………)

知朱《ともみ》にはもう、タケルを手放《てばな》す気《き》はなかった。


その日《ひ》の放課後《ほうかご》、知朱《ともみ》が昇降口《しょうこうぐち》をでると、蝶子《ちょうこ》が待《ま》っていた。

手《て》には野球《やきゅう》のバット。目《め》が怒《いか》りで血走《ちばし》っている。

「あんた、なにかかくしてない?」

知朱《ともみ》はおびえ、ガタガタと震《ふる》えた。まわりを見《み》るが、誰《だれ》もいない。

「な、なんですか? 先輩《せんぱい》、すぐ来《き》ますよ………?」

「その制服《せいふく》の血《ち》、説明《せつめい》してよ」

蝶子《ちょうこ》が指《ゆび》をさす。

知朱《ともみ》のセーラー服《ふく》の胸《むな》もとに、小《ちい》さな血《ち》の跡《あと》がついていた。胸《むな》ぐらをつかんだときに気《き》づいたようだ。

「さっき見《み》たとき、変《へん》だなって思《おも》ったんだよね」

知朱《ともみ》はぎくりとした。

「それ誰《だれ》の血《ち》なの？」

蝶子《ちょうこ》は、こたえない知朱《ともみ》をするどく見《み》すえる。

「おととい、あんたが大介《だいすけ》たちと帰《かえ》ってるとこ、私《わたし》の友《とも》だちが見《み》たらしいんだけど」

知朱《ともみ》は無言《むごん》のまま、少《すこ》しうつむいた。

「どういうこと？　まさかだけど、あんたふたりになにか………」

そのときだった。どこからともなくクモがおりてきて、知朱《ともみ》の肩《かた》にぽとりとのった。

クモは肩《かた》の上《うえ》でカサカサと動《うご》きまわっている。

知朱《ともみ》は突然《とつぜん》、それをつかみとると、グシャッと握《にぎ》りつぶした。

指《ゆび》の間《あいだ》から、バラバラになったクモの体《からだ》が落《お》ちていく。

蝶子《ちょうこ》は、気味《きみ》の悪《わる》い光景《こうけい》に動揺《どうよう》して、言葉《ことば》を失《うしな》っている。

「………？」

わなわなと震《ふる》えながら、左手《ひだりて》でバットを振《ふ》りあげると、右手《みぎて》でスマートフォンを見《み》せつけるようにした。

一昨日《おととい》 あんたが
大介達《だいすけたち》と 帰《かえ》ってるとこ
私《わたし》の友達《ともだち》が 見《み》たらしいけど どういうこと？
まさかだけど
あんた 2人《り》に何《なに》か…
カサ
カサ
グシャ

「タ、タケルに連絡《れんらく》したんだから！」

知朱《ともみ》は表情《ひょうじょう》を消《け》し、まばたきもせずに蝶子《ちょうこ》を見《み》つめた。

「あんたが、や、やばい女《おんな》だって！」

(邪魔《じゃま》させるもんか)

友《とも》だちだろうと、彼女《かのじょ》だろうと、誰《だれ》にも邪魔《じゃま》させない。

知朱《ともみ》は、一歩《いっぽ》、また一歩《いっぽ》と蝶子《ちょうこ》に近《ちか》づいていった。

(私《わたし》とタケル先輩《せんぱい》の未来《みらい》を…………邪魔《じゃま》させるもんか)

まずはあのバットをどうにかしないと。

なぐられないように気《き》をつけながら――――。


タケルがかけつけたのは、それからすぐのことだった。

「知朱《ともみ》ちゃん！」

知朱《ともみ》は昇降口《しょうこうぐち》をでたところで、ぺたんと座《すわ》りこんでいた。

バットが近《ちか》くに落《お》ちている。でも、知朱《ともみ》はどこにもケガをしていなかった。

「大丈夫《だいじょうぶ》!?　蝶子《ちょうこ》から連絡《れんらく》が来《き》て…………」

タケルは、放心《ほうしん》して座《すわ》りこんでいる知朱《ともみ》をのぞきこんだ。

「知朱《ともみ》ちゃん、無事《ぶじ》でよかった。明日《あした》、あいつにちゃんと話《はな》して……」

言《い》いおわらないうちに、知朱《ともみ》はがばっとタケルにしがみつく。

「ど、どうしたの？」

おどろいているタケルの耳《みみ》もとで、知朱《ともみ》はささやいた。

「いまから私《わたし》の家《いえ》に……来《き》ませんか……？」

タケルが、はっと息《いき》をのむのがわかった。

「私《わたし》、先輩《せんぱい》のこと、大好《だいす》きです」

知朱《ともみ》の本能《ほんのう》が、こう言《い》っていた。

(早《はや》く早《はや》く、先輩《せんぱい》とひとつにならなくっちゃ)

「先輩《せんぱい》、来《き》てください……私《わたし》の家《いえ》に……」

知朱《ともみ》の家《いえ》は、学校《がっこう》から何駅《なんえき》もはなれた町《まち》の、うっそうとした森《もり》のなかにあった。

こじゃれた洋館《ようかん》だったが、古《ふる》いせいかあちこちにクモの巣《す》が張《は》っていた。

タケルは最初《さいしょ》、いくつも部屋《へや》がある大《おお》きな家《いえ》だということや、それなのに人気《ひとけ》がないことにおどろいていたが、すぐに慣《な》れたようだった。

ふたりはうす暗《ぐら》い部屋《へや》のなかにいた。

知朱《ともみ》はベッドの上《うえ》でひざを抱《かか》えて座《すわ》り、タケルはベッドのへりに浅《あさ》く腰《こし》かけている。

「古《ふる》い家《いえ》でおどろきましたか？」

「そんなことないよ。すてきな家《いえ》だね」

「そう言《い》ってもらえると、うれしいです。ふふふ」

ここは知朱《ともみ》の大切《たいせつ》な家《いえ》。ほめてもらえるのはうれしかった。

花柄《はながら》のスリップを着《き》た知朱《ともみ》は、幸福《こうふく》な笑《え》みを浮《う》かべて語《かた》りだした。

「私《わたし》、小《ちい》さいころから夢《ゆめ》があって」

「……………夢《ゆめ》？」

知朱《ともみ》は、頬《ほお》をそめてうなずく。

「はい。母《はは》みたいに、大好《だいす》きな人《ひと》の子《こ》どもを産《う》みたいんです」

タケルは少《すこ》し戸惑《とまど》っているようだ。

「そうなんだ。あ、そういえばお母《かあ》さんは？」

タケルは知朱《ともみ》に背中《せなか》をむけ、シャツのボタンをかけながらたずねた。

「誰《だれ》も家《いえ》にいないみたいだけど…………」

「はい」

「お母《かあ》さんにばれたらまずいよね」

「お母《かあ》さん、いません」

「え？」

知朱《ともみ》はふふっと微笑《ほほえ》む。

「私《わたし》が生《う》まれてすぐに、亡《な》くなりました」

それを耳《みみ》にして、タケルの手《て》がとまる。

「……そうなんだ。ごめん…………」

タケルは、知朱《ともみ》のほうへ振《ふ》りむいた。

「もしかしてお父《とう》さんも？」

知朱《ともみ》は、こくんとうなずく。

「そうだったんだ。えっとそれは…………事故《じこ》かなにか…………？」

「いえ」

知朱《ともみ》はかぶりを振《ふ》り、これ以上《いじょう》になく幸《しあわ》せな顔《かお》で微笑《ほほえ》んだ。

「父《ちち》は、母《はは》が食《た》べました」

一瞬《いっしゅん》の間《ま》のあとに、タケルが小《ちい》さな声《こえ》をあげる。

「…………え？」

タケルはふいに、自分《じぶん》の足《あし》もとになにかがあることに気《き》づいた。

ベッドの下《した》から、見《み》たことのある柄《がら》の布《ぬの》が少《すこ》しだけ飛《と》びだしているのだ。

それは大介《だいすけ》がよく着《き》ていたT《ティー》シャツの柄《がら》。

しかし、布《ぬの》はところどころ茶色《ちゃいろ》く変色《へんしょく》していた。それはまるで血《ち》にそまり、乾《かわ》いた跡《あと》のようで
…………。

視線《しせん》を部屋《へや》のすみに移《うつ》すと、見覚《みおぼ》えのあるシルバーネックレスが転《ころ》がっている。

勇司《ゆうじ》のネックレスにちがいなかった。

「な、なんで大介《だいすけ》たちの…………」

タケルはゆっくりと知朱《ともみ》のほうに振《ふ》りかえった。

知朱《ともみ》は、まぶたがないかのように目《め》を大《おお》きく見開《みひら》き、口角《こうかく》をあげて微笑《ほほえ》んでいた。

「あれ？　先輩《せんぱい》どうしたんですか？」

「ま、まさか蝶子《ちょうこ》も…………」

そう言《い》うやいなや、タケルは弾《はじ》かれたように立《た》ちあがり、ドアのほうへかけだした。

足《あし》をもつれさせ、転《ころ》びそうになりながら。


オスグモとメスグモは、交尾《こうび》するのも命《いのち》がけなんだぞ。

なぜなら、交尾後《こうびご》にメスはオスを捕食《ほしょく》するんだ。

元気《げんき》な赤《あか》ちゃんを産《う》むために。


ドアをいきおいよく開《あ》けた直後《ちょくご》、知朱《ともみ》の声《こえ》がした。

「行《い》かないで、先輩《せんぱい》」

タケルは、青《あお》い顔《かお》をして振《ふ》りかえる。

「先輩《せんぱい》」

しかし、そこにいたのは知朱《ともみ》ではなかった。

部屋《へや》を満《み》たすほど巨大《きょだい》な――――クモだ。

「行《い》かないで」

それは、電車《でんしゃ》やバスくらいに大《おお》きく、重々《おもおも》しくどっしりとしていた。

タケルの体《からだ》より太《ふと》い八本《ぽん》の脚《あし》には、ふさふさとしたこげ茶色《ちゃいろ》の毛《け》が生《は》えている。

丸《まる》くてこんもりとした体《からだ》も、びっしりと毛《け》でおおわれていた。

顔《かお》にあたる場所《ばしょ》には、上下《じょうげ》二列《れつ》になってならぶいくつもの目《め》。

それが、ぎょろぎょろとタケルの姿《すがた》をとらえている。

タケルはクモの顔《かお》を見《み》あげた。

恐怖《きょうふ》のあまり、声《こえ》もでない。

涙《なみだ》だけが、じわじわと目《め》のはしにたまってくる。

「タケル先輩《せんぱい》、どうして泣《な》きそうなの？」

そんな声《こえ》が聞《き》こえたような気《き》がした。


数日《すうじつ》かけて、知朱《ともみ》はたっぷりと獲物《えもの》を味《あじ》わった。

天井《てんじょう》からは、何本《なんぼん》もの太《ふと》い糸《いと》が、たるんだ電線《でんせん》のように垂《た》れていた。

そんななか、知朱《ともみ》は血《ち》まみれでベッドに座《すわ》っている。

ここは知朱《ともみ》の巣《す》。

「ありがとう、先輩《せんぱい》」

そうつぶやいてお腹《なか》をさする。笑《え》みがこぼれた。

「元気《げんき》な赤《あか》ちゃんを産《う》むからね」

幸《しあわ》せ。

とても幸《しあわ》せ。

知朱《ともみ》の本能《ほんのう》が、そう言《い》っていた。


三年生《ねんせい》の四人《よにん》が行方不明《ゆくえふめい》になった。

派手《はで》な生徒《せいと》たちだったので、なんらかの事件《じけん》に巻《ま》きこまれたのではないかというのが、警察《けいさつ》の見方《みかた》だった。

一時期《いちじき》、学校《がっこう》は騒然《そうぜん》となったが、半年以上《はんとしいじょう》すぎたいまは落《お》ち着《つ》きをとりもどし、授業《じゅぎょう》もふつうに行《おこな》われている。

「悪《わる》い人《ひと》たちとつきあってたのかもね」

「あー、なんかわかる」

一年《ねん》一組《くみ》は授業中《じゅぎょうちゅう》だったが、一番《いちばん》うしろの席《せき》の女子《じょし》ふたりが、先生《せんせい》の目《め》を盗《ぬす》んでこそこそとおしゃべりをしていた。

「一年《ねん》でも、学校来《がっこうこ》なくなった子《こ》、いるよね」

「いたね。なんだっけ、名前《なまえ》」

「岩金《いわかね》さん？」

「そうだ、その人《ひと》」

一年《ねん》二組《くみ》の岩金知朱《いわかねともみ》という生徒《せいと》は、いつのころからか学校《がっこう》に来《こ》なくなってしまった。

毎年《まいとし》そういう生徒《せいと》が何人《なんにん》かいるので、特《とく》に話題《わだい》にもならなかったのだが――。

黒板《こくばん》の前《まえ》に立《た》つ先生《せんせい》が、教室《きょうしつ》のみんなに質問《しつもん》した。

「蜘蛛《くも》のなかには、赤《あか》ちゃん蜘蛛《ぐも》を産《う》んだあと、あることをするヤツがいるんだ。なにか知《し》ってるか？」

教室《きょうしつ》のあちこちから「えーっ」と声《こえ》があがる。

何人《なんにん》かの生徒《せいと》たちが、思《おも》いつくままにこたえた。

「子守歌《こもりうた》を歌《うた》う」

「あやす、とか」

誰《だれ》かが「そんなわけないだろ！」とツッコみ、笑《わら》いが起《お》きる。

「おっぱいをあげる？」

「エサをとってきてあげる〜」

こたえる生徒《せいと》たちに、先生《せんせい》が微笑《ほほえ》んだ。

「ちょっと惜《お》しいな！　食《た》べ物《もの》を与《あた》えるのは合《あ》ってるぞ。正解《せいかい》は――――」

うしろの席《せき》の女子《じょし》ふたりは、相変《あいか》わらず授業《じゅぎょう》を聞《き》いていなかった。

さっきからずっとおしゃべりをつづけている。

「そういえば、ねぇ、聞《き》いた？　二組《くみ》の子《こ》の話《はなし》」

「さっき言《い》ってた、岩金《いわかね》さんのこと？」

「そうそう。あの子《こ》、三年《ねん》の先輩《せんぱい》とつきあって、妊娠《にんしん》しちゃったんだって」

「え、マジ!?　ひぇー」

「だから来《こ》なくなっちゃったのかもね」

「いまごろ生《う》まれてたりして」


そのころ、森《もり》のなかの古《ふる》い洋館《ようかん》では。

ベッドの上《うえ》で、たくさんの小《ちい》さな生《い》き物《もの》が、もぐもぐと無心《むしん》でなにかの肉《にく》を食《た》べていた。

生《い》き物《もの》たちは、人間《にんげん》の赤《あか》ん坊《ぼう》のようにも見《み》えるが、化《ば》け物《もの》のようにも見《み》える。

ベッドの上《うえ》は血《ち》まみれで、赤《あか》ん坊《ぼう》の口《くち》や手《て》も血《ち》に汚《よご》れている。

赤《あか》ん坊《ぼう》が食《た》べている肉《にく》の下《した》には、花柄《はながら》のスリップが残《のこ》っていた。

ある種《しゅ》の蜘蛛《くも》は、子《こ》どもを産《う》んだあと、子《こ》どもたちに自分《じぶん》の内臓《ないぞう》をすすらせ、体《からだ》を食《た》べさせる
そうだ。

そう、ベッドの上《うえ》で赤《あか》ん坊《ぼう》が食《た》べているのは――。

エピローグ

百四十六時間目《ひゃくよんじゅうろくじかんめ》の授業《じゅぎょう》を終《お》わります。
恐怖《きょうふ》の授業《じゅぎょう》が大好《だいす》きなみなさんには、もうおわかりですよね。
少女《しょうじょ》の正体《しょうたい》は、実《じつ》は………。
蜘蛛《くも》は子孫《しそん》を残《のこ》すことに全力《ぜんりょく》をかけます。
理想《りそう》のオスを手《て》に入《い》れることにも全力《ぜんりょく》。
それだけではありません。
生《う》まれてくる子《こ》どもたちのためには、オスも、自分《じぶん》さえも犠牲《ぎせい》にします。
誰《だれ》に教《おそ》わったわけでもなく、それをやってしまうのです。
蜘蛛《くも》の本能《ほんのう》って、すごいですね。
人間《にんげん》には思《おも》いもよらない、強烈《きょうれつ》な執念《しゅうねん》です。
とはいえ人間《にんげん》も、蜘蛛《くも》と同《おな》じ〝生《い》き物《もの》〟です。

みなさんのなかにも、おそろしいほどの執念《しゅうねん》がひそんでいるかもしれませんよ。
それでは、次回《じかい》の絶叫学級《ぜっきょうがっきゅう》でお目《め》にかかりましょう！

この作品は、集英社よりコミックスとして刊行された『絶叫学級　転生』14、16、19、21巻をもとに、ノベライズしたものです。

集英社みらい文庫

絶叫学級《ぜっきょうがっきゅう》
罠《わな》に落《お》ちたライバル 編《へん》

いしかわえみ　原作・絵
はのまきみ　著

ファンレターのあて先
〒101-8050　東京都千代田区一ツ橋 2-5-10　集英社みらい文庫編集部
いただいたお便りは編集部から先生におわたしいたします。

2024 年 10 月 30 日　第 1 刷発行

発行者　今井孝昭
発行所　株式会社 集英社
〒101-8050　東京都千代田区一ツ橋 2-5-10
電話　編集部 03-3230-6246
読者係 03-3230-6080
販売部 03-3230-6393（書店専用）
https://miraibunko.jp
装　丁　平松はるか（クリエイションハウス）中島由佳理
印　刷　TOPPAN 株式会社
製　本　TOPPAN 株式会社

★この作品はフィクションです。実在の人物・団体・事件などにはいっさい関係ありません。
ISBN978-4-08-321876-7　C8293　N.D.C.913　182P　18cm

宿《しゅく》敵《てき》たちの邪《じゃ》悪《あく》なたくらみ――
絶叫学級《ぜっきょうがっきゅう》
罠に落ちたライバル編
いしかわえみ・原作／絵
はのまきみ・著
集英社みらい文庫
ノベライズ
シリーズ累計《るいけい》
124万部《まんぶ》
突破《とっぱ》!!
絶叫学級《ぜっきょうがっきゅう》
最新《さいしん》 第《だい》40弾《だん》！ 大人気《だいにんき》発売中《はつばいちゅう》!!

既刊案内《きかんあんない》

「りぼん」連載《れんさい》の
人気《にんき》ホラー・コミックの
ノベライズ!!

いしかわえみ・原作/絵

はのまきみ（25より）
桑野和明《くわのかずあき》（24まで）・著

こちらもオススメ！

3
くずれゆく友情《ゆうじょう》編《へん》

昔《むかし》の卒業《そつぎょう》アルバムを見《み》ていたら別世界《べつせかい》に飛《と》び、写真《しゃしん》の人物《じんぶつ》が目《め》の前《まえ》に現《あらわ》れる「黄泉《よみ》の真実《しんじつ》」ほか3話《わ》を収録《しゅうろく》。

13
不幸《ふこう》を呼《よ》ぶ親友《しんゆう》編《へん》

友《とも》だちをほしがっている少女《しょうじょ》のもとに、差出人不明《さしだしにんふめい》の手紙《てがみ》が届《とど》きはじめる「ベストフレンド」ほか3話《わ》を収録《しゅうろく》！

22
悪意《あくい》にまみれた友《とも》だち編《へん》

容姿《ようし》を変《か》えられるプリクラで友《とも》だちを見返《みかえ》したい少女《しょうじょ》を描《えが》いた「プリント・コレクション」ほか4話《わ》を収録《しゅうろく》！

ヒリヒリ
するほど共感《きょうかん》！
リアル友情《ゆうじょう》
ストーリー!!
「絶叫学級《ぜっきょうがっきゅう》」シリーズ
漫画家《まんがか》・いしかわえみ先生《せんせい》絶賛《ぜっさん》!!
『キミと、いつか。』シリーズ
宮下恵茉《みやしたえま》先生《せんせい》
最新作《さいしんさく》！
トモダチブルー
宮下恵茉《みやしたえま》 作《さく》
遠山《とおやま》えま 絵《え》

登《とう》場《じょう》人《じん》物《ぶつ》

小鳥遊《たかなし》はな

転校生《てんこうせい》。真菜《まな》たちの仲《なか》よしグループに入《はい》り、うちとけていくが…？

藤澤《ふじさわ》 湊《みなと》

真菜《まな》の幼《おさな》なじみ。クール な一匹狼《いっぴきおおかみ》。ひそかなファンが多《おお》い。

市川《いちかわ》 萌《もえ》

真菜《まな》と仲《なか》よし。おとなしいタイプ。湊《みなと》のことが気《き》になる？

菊池《きくち》陽向《ひなた》

学年一《がくねんいち》の人気男子《にんきだんし》。真菜《まな》のことを気《き》に入《い》っているけど…？

伊藤《いとう》真菜《まな》

先輩《せんぱい》にかわいがられ男子《だんし》にも人気《にんき》。一部《いちぶ》の女子《じょし》からは“クラスのヒロイン”と言《い》われている。

ストーリー

“クラスのヒロイン”と言《い》われ、
楽《たの》しく学校生活《がっこうせいかつ》を送《おく》っている真菜《まな》。
季節《きせつ》はずれの転校生《てんこうせい》・小鳥《ことり》と
同じペンケースを使《つか》っていたことで、
ふたりは意気投合《いきとうごう》、急速《きゅうそく》に仲《なか》よくなっていくけど…!?
小鳥《ことり》は別《べつ》の顔《かお》を見《み》せはじめる。
真菜《まな》と同《おな》じ髪型《かみがた》、部活《ぶかつ》、塾《じゅく》——
小鳥《ことり》の“おそろ”はエスカレート。
さらに「真菜《まな》には罰《ばつ》が必要《ひつよう》」と言《い》いだして…!?

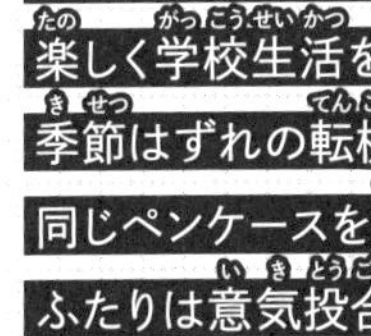

本《ほん》の巻末《かんまつ》には、宮下恵茉《みやしたえま》先生《せんせい》×いしかわえみ先生《せんせい》夢《ゆめ》のスペシャル対談《たいだん》も収録《しゅうろく》！

大《だい》人《にん》気《き》発《はつ》売《ばい》中《ちゅう》!!

流《なが》れ星《ぼし》の約《やく》束《そく》
再会《さいかい》したきみは芸能人《げいのうじん》!?
伝《つた》えたい想《おも》い
みずのまい 作
雪丸《ゆきまる》ぬん 絵
オリジナル新作《しんさく》
2024年《ねん》11月《がつ》22日《にち》金《きん》発売予定《はつばいよてい》!

4年《ねん》ぶりに再会《さいかい》した初恋相手《はつこいあいて》は、
芸能界《げいのうかい》のトップ俳優《はいゆう》に!?

幼《おさな》い頃《ころ》に両親《りょうしん》を事故《じこ》で亡《な》くした**結《ゆい》**。
小学《しょうがく》2年生《ねんせい》のときに**施設《しせつ》**で出会《であ》った
安藤流星《あんどうりゅうせい》くんと**トクベツな約束《やくそく》**をしたけど、
すぐに**離《はな》れ離《ばな》れ**に。**小学《しょうがく》6年生《ねんせい》**になり、
ひょんなことから**映画《えいが》のエキストラ**に
誘《さそ》われるが、その映画《えいが》の主演《しゅえん》の男《おとこ》の子《こ》は
「流星《りゅうせい》」という名前《なまえ》で…!? **顔《かお》もそっくり!?**
同一人物《どういつじんぶつ》なのか確《たし》かめたいけど、
彼《かれ》はおどろくほど**冷酷無慈悲《れいこくむじひ》な人物《じんぶつ》**で…!?

登場人物《とうじょうじんぶつ》

大沢結《おおさわゆい》

小《しょう》6。両親《りょうしん》を亡《な》くし一時《いちじ》は施設《しせつ》で育《そだ》つが、縁《えん》あって西川家《にしかわけ》の一員《いちいん》に。サバサバした性格《せいかく》で面倒見《めんどうみ》がよい姉御肌《あねごはだ》。

天川流星《あまかわりゅうせい》

小《しょう》6。天才子役《てんさいこやく》として圧倒的《あっとうてき》な才能《さいのう》で人気《にんき》を博《はく》す。結《ゆい》が施設《しせつ》で心《こころ》を通《かよ》わせた「安藤流星《あんどうりゅうせい》」くんと同一人物《どういつじんぶつ》なのかは…?

西川多摩子《にしかわたまこ》

売《う》れっ子《こ》のミステリー作《さっ》家《か》。結《ゆい》の母親《ははおや》の大学時《だいがくじ》代《だい》の同級生《どうきゅうせい》で、事故《じこ》を知《し》り、結《ゆい》を引《ひ》き取《と》る決心《けっしん》をした。

西川倫太郎《にしかわりんたろう》

小《しょう》4。結《ゆい》とは血《ち》のつながりがなく名字《みょうじ》も別《べつ》だが、弟《おとうと》として結《ゆい》を慕《した》っている。心《こころ》の優《やさ》しい子《こ》。

井上大河《いのうえたいが》

小《しょう》6。結《ゆい》の幼《おさな》なじみ。リトルリーグで4番《ばん》キャッチャー、キャプテン。

加山龍之介《かやまりゅうのすけ》

有名子役《ゆうめいこやく》が多数所《たすうしょ》属《ぞく》する劇団《げきだん》に所属《しょぞく》。礼儀正《れいぎただ》しく、誠実《せいじつ》な人柄《ひとがら》。

記憶《きおく》バトルロイヤル
夢《ゆめ》のために、覚《おぼ》えて勝《か》つ――！
覚《おぼ》えて勝《か》ちぬけ！
100万円《まんえん》をかけた戦《たたか》い
東大《とうだい》出身《しゅっしん》!!
記憶力日本《きおくりょくにほん》チャンピオン監修《かんしゅう》！
楽《たの》しく読《よ》んで、記憶力《きおくりょく》アップ!!
相羽《あいば》鈴《りん》作《さく》
木乃《きの》ひのき絵《え》
青木《あおき》健《たける》監修《かんしゅう》

「みらい文庫《ぶんこ》」読者《どくしゃ》のみなさんへ

言葉《ことば》を学《まな》ぶ、感性《かんせい》を磨《みが》く、創造力《そうぞうりょく》を育《はぐく》む……、読書《どくしょ》は「人間力《にんげんりょく》」を高《たか》めるために欠《か》かせません。たった一枚《いちまい》のページをめくる向《む》こう側《がわ》に、未知《みち》の世界《せかい》、ドキドキのみらいが無限《むげん》に広《ひろ》がっている。これこそが「本《ほん》」だけが持《も》っているパワーです。

学校《がっこう》の朝《あさ》の読書《どくしょ》に、休《やす》み時間《じかん》に、放課後《ほうかご》に……。いつでも、どこでも、すぐに続《つづ》きを読《よ》みたくなるような、魅力《みりょく》に溢《あふ》れる本《ほん》をたくさん揃《そろ》えていきたい。読書《どくしょ》がくれる、心《こころ》がきらきらしたり胸《むね》がきゅんとする瞬間《しゅんかん》を体験《たいけん》してほしい、楽《たの》しんでほしい。みらいの日本《にほん》、そして世界《せかい》を担《にな》うみなさんが、やがて大人《おとな》になった時《とき》、「読書《どくしょ》の魅力《みりょく》を初《はじ》めて知《し》った本《ほん》」「自分《じぶん》のおこづかいで初《はじ》めて買《か》った一冊《いっさつ》」と思《おも》い出《だ》してくれるような作品《さくひん》を一所懸命《いっしょけんめい》、大切《たいせつ》に創《つく》っていきたい。

そんないっぱいの想《おも》いを込《こ》めながら、作家《さっか》の先生方《せんせいがた》と一緒《いっしょ》に、私《わたし》たちは素敵《すてき》な本作《ほんづく》りを続《つづ》けていきます。「みらい文庫《ぶんこ》」は、無限《むげん》の宇宙《うちゅう》に浮《う》かぶ星《ほし》のように、夢《ゆめ》をたたえ輝《かがや》きながら、次々《つぎつぎ》と新《あたら》しく生《う》まれ続《つづ》けます。

本《ほん》を持《も》つ、その手《て》の中《なか》に、ドキドキするみらい――。

本《ほん》の宇宙《うちゅう》から、自分《じぶん》だけの健《すこ》やかな空想力《くうそうりょく》を育《そだ》て、〝みらいの星《ほし》〟をたくさん見《み》つけてください。そして、大切《たいせつ》なこと、大切《たいせつ》な人《ひと》をきちんと守《まも》る、強《つよ》くて、やさしい大人《おとな》になってくれることを心《こころ》から願《ねが》っています。

２０１１年《ねん》　春《はる》

集英社《しゅうえいしゃ》みらい文庫編集部《ぶんこへんしゅうぶ》